Collection dirigé

L'Écume des jours

(1947)

Boris Vian

GUILLAUME BRIDET
Agrégé de Lettres modernes

SOMMAIRE

ISSN 0750-2516 ISBN 2-218-**73773**-6

Dans les pages suivantes, les chiffres entre parenthèses renvoient aux pages de l'édition Le Livre de Poche 1996 de *L'Écume des jours*.

Fiche Profil

L'Écume des jours (1947)

BORIS VIAN (1920-1959)

ROMAN D'AMOUR MERVEILLEUX XXe SIÈCLE

RÉSUMÉ

Célibataire, Colin a deux amis qui ont pour nom Chick et Nicolas, ce dernier étant aussi son cuisinier. Chick, amateur des ouvrages du philosophe Jean-Sol Partre, a une relation avec Alise. Nicolas profite des bonnes fortunes sexuelles que lui offre la vie. Lors d'une fête chez une amie prénommée Isis, Colin rencontre Chloé. Le coup de foudre est immédiat. Ils se marient. La cérémonie de leur mariage constitue le moment le plus heureux du roman.

Mais dès la sortie de l'église, Chloé commence à tousser. L'appartement de Colin, autrefois si confortable, s'assombrit et se rétrécit peu à peu. Après que Chloé a eu une syncope, le professeur Mangemanche diagnostique la présence d'un nénuphar dans le poumon droit. On l'opère, mais le mal gagne l'autre poumon. Le professeur recommande que Chloé soit entourée de fleurs, mais cela n'arrête pas la progression du mal. Colin, qui jusque là semblait vivre de sa fortune, doit désormais travailler pour payer les soins de Chloé. Dans le même temps, le malheur s'abat aussi sur Chick et Alise. Après qu'ils ont assisté ensemble à une conférence donnée par Partre, Chick délaisse en effet Alise. La passion qu'il éprouve pour le philosophe ne souffre pas de rivalité. Il en vient même à ne pas payer ses impôts pour acheter plus de livres.

Pour se venger, Alise tue Partre et incendie les librairies. Elle meurt dans l'un des incendies qu'elle a allumés. Chick est tué par les gendarmes venus chez lui percevoir les impôts impayés. Chloé meurt de sa maladie. Après son enterrement, Colin a, semble t-il, l'intention de se suicider en se jetant à l'eau. Seuls Nicolas et Isis restent vivants.

PERSONNAGES PRINCIPAUX

- **Colin**, jeune homme aisé et raffiné, cherche l'amour. Il le trouve en la personne de Chloé. Mais le bonheur espéré tourne au drame. Par amour pour sa femme, Colin sacrifie sa vie.

• **Chloé** est la femme de Colin. Amoureuse et douce, elle espère elle aussi connaître le bonheur conjugal. Mais Chloé est une femme fragile. Elle succombe à sa maladie pulmonaire.

• **Chick** est passionné par la philosophie de Partre. Il s'endette, ne paye plus ses impôts et abandonne Alise. Il est tué par les gendarmes venus percevoir les impôts impayés.

• **Alise** est passionnément amoureuse de Chick, mais celui-ci la délaisse. Par dépit amoureux, elle tue Partre et incendie des librairies. Elle meurt dans l'un de ses incendies.

• **Nicolas** est le cuisinier de Colin. Homme à femmes, il jouit de ses bonnes fortunes, et particulièrement d'Isis, sans penser à l'amour. Il fait preuve d'une certaine maturité et d'esprit pratique.

• **Isis** est une jeune fille légère. Comme Nicolas, elle sait jouir de la vie sans se montrer trop exigeante.

THÈMES

1. L'amour impossible

2. La société aliénante

3. Les dangers de la philosophie

4. L'éloge de la créativité et du jazz

TROIS AXES DE LECTURE

1. La difficulté d'accéder à l'âge adulte
En dehors de Nicolas, les personnages ne trouvent d'épanouissement ni dans la vie sociale ni dans la vie affective. Ce sont des jeunes gens qui ne parviennent pas à mûrir.

2. Une vision pessimiste de l'existence
La condition humaine est avant tout caractérisée par la maladie et la mort. Les seuls bonheurs possibles sont de courte durée : manger, danser et écouter de la musique.

3. Un roman plus merveilleux que réaliste
L'univers romanesque emprunte des traits au monde réel, mais se caractérise surtout par la fantaisie merveilleuse. Au cours du roman, la magie perd cependant tout pouvoir bénéfique.

1 Vie et œuvre de Boris Vian

DE LA JEUNESSE AUX DÉBUTS LITTÉRAIRES

Boris Vian naît le 10 mars 1920 à Ville-d'Avray (Hauts-de-Seine), cadet d'une famille bourgeoise et cultivée. Il passe une enfance heureuse et protégée, que troublent cependant deux événements : la crise de 1929 oblige les Vian à réduire leur train de vie et Boris est malade du cœur. Mais, il se passionne pour le jazz, se met à la trompette et organise avec ses frères des soirées mémorables. Il intègre en 1939 l'École Centrale des Arts et Manufactures. La même année, lorsque la guerre éclate, sa maladie cardiaque lui permet d'échapper à la mobilisation.

Durant l'Occupation, Boris fait partie de ces jeunes gens que l'on surnomme « zazous ». Ni collaborateurs ni résistants, les zazous se consolent des rigueurs de l'époque en se passionnant pour la littérature et pour les musiques nouvelles venues d'Amérique : le bop et le jitterburg.

En 1942, Boris devient ingénieur. Après la guerre, son quintette de jazz anime les folles soirées du quartier parisien de Saint-Germain des Prés. En 1947, il interrompt sa carrière d'ingénieur, et écrit des chroniques de jazz dans la revue *Jazz-Hot*. Il écrit des poèmes et quatre romans : *L'Écume des jours* et *L'Automne à Pékin* (1947), *L'Herbe rouge* (1950) et *L'Arrache-cœur* (1953). C'est à cette époque qu'il fait la connaissance de Sartre qu'il rejoint à la revue *Les Temps Modernes*. Mais les chroniques qu'il propose sont trop provocatrices. Boris est écarté de la revue. Son amitié avec Queneau[1] est plus profonde. Mais la notoriété ne

1. Raymond Queneau (1903-1976), écrivain français, est l'auteur du *Chiendent* (1933) et des *Exercices de style* (1947).

vient pas. Sa plus grande déception survient avec *L'Écume des jours,* qui n'obtient pas le Prix de la Pléiade 1947.

Écrivain, musicien et ingénieur, à gauche mais sans engagement précis, il est isolé dans un milieu littéraire que la guerre a fragmenté en groupes antagonistes. Sa révolte individualiste le conduit vers une certaine marginalité.

UNE CARRIÈRE DIFFICILE

Boris Vian écrit un roman noir, *J'irai cracher sur vos tombes,* qui paraît à la fin de l'année 1946 sous le pseudonyme de Vernon Sullivan. L'ouvrage, qui mêle violence et érotisme, est attaqué en justice par le Cartel d'Action Sociale et Morale[1] en 1947. Il se vend à 120 000 exemplaires. Mais en 1949, il est interdit par un décret ministériel. Puis en 1950, un tribunal correctionnel condamne Boris Vian et son éditeur à une amende de 100 000 francs.

En 1952, Boris devient membre du Collège de Pataphysique[2]. Il y retrouve Henri Salvador[3], dont l'amitié lui est un réel réconfort.

Cependant Boris Vian, dont l'œuvre littéraire n'est pas reconnue, vit d'expédients. Il multiplie les traductions, rédige des articles pour les journaux, fait de la radio, entre dans une maison de disques et se lance lui-même dans la chanson. En 1955, lors d'un tour de chant en province, le célèbre *Déserteur* lui vaut les foudres des associations d'anciens combattants.

Malade du cœur, Boris Vian meurt le 23 juin 1959. Il ne connut pas, de son vivant, la notoriété qui est aujourd'hui la sienne.

---

1. Cette association puritaine, dirigée par un architecte protestant, Daniel Parker, attaquait en justice les œuvres littéraires dont elle jugeait le contenu dangereux pour les familles et la jeunesse.
2. Créé en 1948, le Collège de Pataphysique regroupait les héritiers spirituels d'Alfred Jarry (1873-1907), ancêtre du surréalisme et créateur du personnage d'Ubu. Entre sérieux et fantaisie, il explorait les champs qu'avaient négligé la physique et la métaphysique.
3. Henri Salvador (né en 1917) détourne les rythmes des jazz et de rock and roll pour créer des chansons fantaisistes.

2 Résumé

Chapitres I et II Colin parle avec son cuisinier Nicolas, puis reçoit à déjeuner son ami Chick. Il lui offre un apéritif composé au moyen d'un appareil qu'il a inventé, le « pianocktail », et qui dose des cocktails à partir de mélodies jouées au piano. Chick raconte qu'il a fait l'amour avec Alise, cousine de Nicolas, rencontrée à une conférence de Jean-Sol Partre.

Chapitres III et IV Le lendemain, Colin se rend à la patinoire où Chick lui a donné rendez-vous. Il fait la connaissance d'Alise. Nicolas, puis Isis Ponteauzanne, les rejoignent à la patinoire. Isis les invite tous à une fête qu'elle organise la semaine suivante.

Chapitres V à VIII A la veille de se rendre chez Isis, Colin qui marche dans la rue ne peut s'empêcher de penser à Alise. Il espère trouver une jeune femme le lendemain. Il rentre finalement chez lui et rejoint Nicolas qui lui apprend à danser le biglemoi.

Chapitres IX à XI Colin a envie d'être amoureux. Sur le chemin qui mène chez les Ponteauzanne, il se montre attentif aux femmes qu'il croise. Arrivé chez Isis, il remarque Chloé. Le coup de foudre réciproque est immédiat. Ils se regardent, s'embrassent et se caressent.

Chapitres XII à XIV Colin et Chick mangent à nouveau ensemble. Colin se demande comment il va pouvoir revoir Chloé. Comme par enchantement, il découvre un rendez-vous avec Chloé dans le gâteau qu'il découpe à la fin du repas. Le jour du rendez-vous arrive. Après que Chloé lui a pris le bras, Colin lui serre la taille et embrasse ses lèvres.

Chapitres XV et XVI
Chick et Alise dînent chez Colin. Nicolas est invité à la table. Colin leur annonce qu'il va se marier avec Chloé. Pour que Chick, trop pauvre, puisse épouser Alise, Colin lui offre le quart des cent mille doublezons qu'il possède. La veille de la noce, Colin est heureux et achète des fleurs à Chloé.

Chapitres XVII à XX Tout le monde se prépare pour la noce : les frères Pégase et Coriolan Desmarais, « pédérastes d'honneur » ; le personnel religieux, le « Religieux », le « Bedon » et le « Chuiche » ; Chloé, Alise et Isis ; enfin, Chick qui, avec bien des difficultés, aide Colin à faire son nœud de cravate.

Chapitres XXI et XXII Une voiture conduit tout le monde à l'église. La noce se déroule dans la plus grande fantaisie : danse des religieux, transport en wagonnets dans la nef, musique de jazz... Colin et Chloé prononcent le « oui » fatidique. Après la cérémonie, Chloé se met déjà à tousser.

Chapitres XXIII à XXVII Le lendemain matin, Nicolas conduit la voiture qui emmène Chloé et Colin en voyage de noces. Mais le ciel est bas et sombre, la nature malade, les hommes hostiles. Les mines de cuivre que traverse la voiture ajoutent encore à l'atmosphère d'oppression. Chloé prend peur. Elle discute avec Colin. Si les hommes travaillent tant, c'est que leur bêtise les a persuadés de l'intérêt du travail. La voiture s'arrête devant un hôtel qu'entoure une campagne verdoyante. Nicolas séduit la fille du patron. La neige sur le bord de la route fait tousser Chloé. Le lendemain, Colin et Chloé décident de rentrer chez eux.

Chapitre XXVIII Pendant ce temps, Chick, Alise et Isis assistent à une conférence de Jean-Sol Partre. Le service d'ordre refoule avec violence le public trop nombreux. Jean-Sol arrive sur le dos d'un éléphant qui écrase des corps pour se frayer un passage. A la fin de la conférence, la verrière qui domine la salle s'effondre sur les spectateurs. Jean-Sol rit de bon cœur.

Chapitres XXIX à XXXIII De retour à la maison, Nicolas et Colin s'aperçoivent que l'appartement s'est assombri. De plus, Colin n'a plus que trente-cinq mille doublezons. Colin, Chloé et Nicolas se rendent chez Isis où les attendent aussi Chick et Alise. Nicolas et les jeunes femmes iront faire les magasins puis rejoindront ensuite Colin et Chick qui partent à la patinoire. Ces derniers sont en train de patiner quand Colin apprend par le haut-parleur que Chloé a eu une syncope. Il quitte la patinoire et imagine le pire. Mais à son arrivée, Nicolas le rassure. A la demande de Chloé, il met de la musique de jazz et s'allonge à ses côtés.

Chapitres XXXIV à XXXVII Le professeur Mangemanche ausculte Chloé et décèle un bruit dans son poumon. Colin et Chick vont acheter des médicaments. Chick apprend à Colin qu'il a acheté de nouvelles œuvres de Partre et qu'il ne lui reste plus que trois mille deux cents doublezons. Colin rentre chez lui. Chloé n'accepte de prendre une pilule qu'à condition qu'il l'embrasse. Ils font l'amour.

Chapitres XXXVIII à XL Colin et Chloé se rendent chez le professeur Mangemanche. Ils marchent dans un quartier médical sordide. Chloé tousse encore. Le professeur envisage la possibilité d'une opération. Nicolas vient en voiture rechercher le couple. Chloé pleure, Colin est angoissé. Il apprend à Nicolas que sa femme a un nénuphar dans le poumon droit. Il serait bon qu'elle parte à la montagne. Elle ne doit pas boire et doit vivre entourée de fleurs.

Chapitres XLI à XLIII Rendant visite à Chloé, Alise remarque que l'appartement a rétréci et que Nicolas a vieilli. Pendant ce temps, Chick achète un livre sur lequel se trouve une empreinte de Partre ainsi qu'un pantalon et une pipe lui ayant appartenu. Colin et Chick mangent ensemble, mais les plats de Nicolas sont sans saveur. Chick remarque la dégradation de l'appartement. Manquant d'argent, Colin demande à Nicolas d'entrer au service des Ponteauzanne.

Chapitres XLIV et XLV Colin se rend à un entretien d'embauche. Le directeur et le sous-directeur le traitent de fainéant et deviennent menaçants. Colin les insulte et s'enfuit. Chez un antiquaire, il vend son pianocktail.

Chapitres XLVI et XLVII Colin reçoit une lettre de Chloé, postée de la montagne et lui annonçant qu'elle va bientôt revenir. A son retour, Mangemanche lui rend une nouvelle visite et s'étonne de la dégradation de l'appartement. Chloé, opérée du nénuphar, ne respire plus qu'avec un seul poumon.

Chapitres XLVIII et XLIX Chick se rend à l'usine dans laquelle il travaille. Il contrôle le fonctionnement des machines, quand brusquement quatre d'entre elles se détraquent et tuent quatre ouvriers. Renvoyé, il achète avec son dernier salaire des enregistrements de Partre.

Chapitres L à LII Isis rend visite à Colin et Chloé. L'appartement s'est encore dégradé. L'autre poumon de Chloé est touché. Isis aimerait épouser le cuisinier Nicolas, mais ses parents n'osent pas faire leur demande à ce dernier. Le lendemain matin, Colin se rend à l'usine de fusils. Un vieil homme lui indique qu'il doit s'allonger sur la terre et prodiguer aux graines de fusils la chaleur de son corps. Au début, sa production est de qualité. Mais une rose blanche en acier se met à pousser sur les derniers fusils qu'il a couvés. Colin est renvoyé.

Chapitres LIII à LV Tandis que Chloé dort, Colin reçoit Alise. Chick l'a quittée. Il ne pense plus qu'à Partre. Colin embrasse Alise. Ils regrettent l'un et l'autre de ne pas s'être rencontrés avant de tomber amoureux d'une autre personne. Pendant ce temps, Chick est chez lui, seul. Le sénéchal de la police réunit six « agents d'armes » pour recouvrer les impôts impayés de Chick.

Chapitres LVI à LX Alise se rend dans le débit de boisson où Partre travaille pendant la journée. Pour que Chick cesse de se ruiner, elle tue Partre. Puis elle entre successivement dans quatre librairies auxquelles elle met le feu après avoir tué les libraires. Pendant ce temps, les policiers pénètrent chez Chick et l'abattent. Chick est tué. Nicolas, qui a appris la mort de Partre, se dirige vers la maison de Chick. Il passe devant une librairie en feu et pénètre à l'intérieur. Il découvre le corps d'Alise, s'empare de ses cheveux et s'éloigne.

Chapitres LXI à LXIII Colin a un nouveau travail : gardien à la « Réserve d'Or ». Quand il rentre chez lui, Nicolas et Isis sont auprès de Chloé. Colin lui apporte des fleurs. Nicolas pleure. Colin a perdu son travail mais retrouve un nouvel emploi. Il est chargé d'annoncer aux particuliers les malheurs qui vont leur arriver. Bientôt, son propre nom apparaît sur la liste. Il comprend que Chloé va mourir.

Chapitres LXIV à LXVI Colin manque d'argent. Le Religieux lui propose avec mépris d'enterrer Chloé pour cent cinquante doublezons. Le jour arrive. Colin, accompagné de Nicolas et Isis, subit les humiliations du pauvre. Dans l'église, la statue de Jésus crucifié s'anime et décline toute responsabilité quant à la mort de Chloé. Dans le cimetière situé sur une île, la nature est lugubre. Les religieux hurlent et dansent tandis que le corps de Chloé tombe dans la fosse.

Chapitres LXVII et LXVIII La souris grise à moustaches noires quitte l'appartement dont le plafond et le plancher s'écrasent l'un contre l'autre. Elle arrive au cimetière. Tout en parlant avec un chat, elle regarde Colin qui, selon elle, va finir par se suicider en se jetant à l'eau. Malheureuse elle aussi, elle demande au chat qu'il l'aide à mourir. Il accepte. La souris met sa tête dans la gueule du chat.

3 Les personnages

PERSONNAGES PRINCIPAUX ET PERSONNAGES SECONDAIRES

Les personnages principaux

Les personnages principaux sont au nombre de six : Colin, Chloé, Chick, Alise, Nicolas et Isis. Ils sont jeunes. Colin et Chick ont tous deux vingt-deux ans (p. 21), Alise a dix-huit ans et Nicolas, le plus âgé d'entre eux, n'a que vingt-neuf ans (p. 45). Quant à Isis et Chloé, elles doivent être aussi jeunes que les autres.

Mais c'est encore davantage par leur état d'âme que par leur âge que ces jeunes adultes touchent à une adolescence idéalisée. Leur première vertu est la générosité. Ils forment un groupe d'amis et s'apportent de l'aide les uns aux autres. Qu'on pense ainsi à Colin qui donne vingt-cinq mille doublezons, soit le quart de sa fortune, à Chick pour qu'il puisse épouser Alise (chap. XV). Qu'on pense aussi aux visites que, les uns après les autres, ils viennent faire auprès de Chloé malade. C'est d'abord Alise qui la soutient (chap. XLI), puis Isis (chap. L), puis Nicolas et Isis (chap. LXII). Mais c'est surtout Nicolas qui apporte de l'aide aux autres personnages. Il met en rapport les personnages les uns avec les autres. Ainsi, il procure à Colin un rendez-vous avec Chloé après leur première rencontre (chap. XII). Plus tard, Nicolas prend soin de ceux qui souffrent. Ainsi, lorsqu'il apprend que Chick a quitté Alise, il cherche immédiatement à retrouver sa nièce pour la consoler (chap. LX).

Cette « âme d'adolescent » se manifeste aussi par le refus du monde adulte. Ces personnages sont de jeunes bourgeois qui se déplacent dans un espace social flou, assurément privilégié, mais sans lien réel avec le reste de la société. C'est en ce sens aussi qu'on peut comprendre leur absence d'état-civil et leur famille restreinte, voire inexistante. Certes, Isis a un nom de famille (Ponteauzanne) et vit encore chez ses parents, Chick a un oncle et Alise est la nièce de Nicolas. Mais les autres personnages n'ont ni nom ni famille.

Les personnages secondaires

En contraste avec les personnages principaux, les personnages secondaires forment une population cruelle. Ainsi, quand les « varlets-nettoyeurs » dégagent la patinoire des nombreuses personnes qui sont tombées et sont mortes, le reste des patineurs applaudit (p. 38). Plus tard, Colin et Chloé observent une vitrine de propagande pour l'Assistance Publique dans laquelle « un gros homme avec un tablier » égorge « de petits enfants » (p. 77). L'institution du secours aux orphelins est devenue une boucherie. L'humanité semble être animée d'une certaine malveillance.

Certes, on peut distinguer parmi ces personnages des adjuvants et des opposants[1]. Ainsi le directeur et le sous-directeur de l'usine dans laquelle Colin cherche à travailler sont nettement des opposants. Ils ne témoignent aucune pitié à son égard et se montrent même très menaçants (chap. XLIV). Au contraire, le professeur Mangemanche est un adjuvant dans la mesure où il ausculte Chloé à de nombreuses reprises pour tenter de la guérir (chap. XXXIV, XXXVIII, XXXIX et XLVII). Mais finalement, il ne peut rien contre sa maladie. Quand les personnages secondaires ne sont pas hostiles ou indifférents au malheur des autres, ils sont impuissants à l'éviter.

Si du côté des êtres humains il n'est aucun espoir, les animaux sont en revanche plus sympathiques. C'est le cas tout particulièrement de la souris grise à moustaches

---

1. Dans le système des personnages d'un roman, on distingue les *adjuvants*, qui aident les héros dans leur quête, et les *opposants* qui au contraire les empêchent de parvenir à leur fin (cf. A.-J. Greimas, *Du sens*, p. 171-183, Le Seuil, 1970).

noires qui vit dans l'appartement de Colin. Après avoir, pendant les jours heureux, dansé sous les rayons de soleil de la cuisine (p. 22), elle tient compagnie à Chloé malade, s'efforce de la distraire et de la consoler (p. 283). Pour finir, après la mort de la jeune femme, ne pouvant supporter le désespoir de Colin, elle cherche à se suicider (p. 300). Les personnages sont donc tranchés. Il y a d'un côté les bons, qui sont aussi les victimes, de l'autre les méchants, qui sont des bourreaux ou des indifférents.

LES HOMMES ET LES FEMMES

Les hommes

Le récit individualise davantage les hommes que les femmes, et davantage Colin que Chick et Nicolas. Colin est le seul a être l'objet, dès le début du roman, de brèves notations psychologiques. Avec son « sourire de bébé » et sa « bonne humeur » (p. 20), il est un jeune homme heureux et gentil. Son aisance sociale est signalée par le luxe de son appartement et le raffinement des mets que lui sert son cuisinier Nicolas. Enfin, c'est un garçon inventif, puisqu'il a mis au point le pianocktail, ce piano qui prépare des cocktails à partir des mélodies qu'on joue sur son clavier. C'est donc un être à mi-chemin entre le confort bourgeois et la bohème artiste.

En cela, il s'oppose à Nicolas et surtout à Chick. En tant que cuisinier, Nicolas jouit lui aussi d'un talent qui le rapproche de l'artiste, mais il appartient à une catégorie sociale inférieure à celle de Colin. Chick, lui, n'a rien d'un artiste. Mais sur le plan social, son métier d'ingénieur le situe, comme Colin, du côté des privilégiés. Il se ruine cependant pour acquérir les œuvres de Partre et doit constamment emprunter de l'argent.

Il faut opposer Nicolas à tous les autres personnages masculins par la maturité affective dont il fait preuve dans le roman. Nicolas sait saisir le bonheur. Certes, il est peiné par le destin tragique de son maître et de sa femme, puisqu'il en pleure (p. 209). Mais, tout au long du roman, il ne cesse de chercher les bonnes fortunes. Ainsi, il passe la nuit avec Isis et deux cousines de cette dernière (p. 117) et il parvient à séduire très facilement la fille d'un hôtelier (p. 128). Ses sous-entendus érotiques ne laissent aucun doute sur l'intérêt sexuel qu'il porte aux femmes (p. 27, 50, 149). En effet, Nicolas a tout du séducteur. Sur le plan physique d'abord, il jouit d'une force unique dans le roman. « Vous êtes bâti comme Johnny Weissmüller »[1], lui dit Chick (p. 72). Dans la conversation, il montre en outre une grande facilité (p. 24, 28, 50-51). Pour comprendre cette assurance de Nicolas, il faut considérer deux éléments. D'une part, il est situé par ses liens familiaux en position d'aîné, puisqu'il est l'oncle d'Alise. Il est aussi plus âgé que Colin et Chick. D'autre part, contrairement à Colin qui ne travaille pas et à Chick qui finit par être renvoyé, il reste toujours fidèle au même métier. D'abord cuisinier chez Colin, il est ensuite placé chez les Ponteauzanne (chap. XLIII, XLVI). Contrairement aux autres personnages, Nicolas n'est plus un adolescent. Il a intégré le monde des adultes.

Les femmes

Les femmes sont avant tout caractérisées par leurs vêtements et leur aspect physique. La première chose que note Colin quand il rencontre Chloé, c'est qu'elle a des « lèvres rouges », des « cheveux bruns » et les « yeux bleus » (p. 66). Le narrateur s'arrête de même sur l'apparence d'Alise (p. 39) et d'Isis (p. 42). Une femme, dans *L'Écume des jours* est avant tout un corps, c'est-à-dire un objet de désir. Dans la même logique, la femme ne travaille pas. Son seul centre d'intérêt est l'amour. Boris Vian présente donc une image très conventionnelle de la femme.

Si les personnages féminins présentent des similitudes, on peut tout de même distinguer chacun d'entre eux. Isis

1. Johnny Weissmüller est un nageur américain plusieurs fois champion olympique. Devenu par la suite acteur, il fut l'interprète du rôle de Tarzan dans plusieurs films à partir de 1932.

n'est qu'une silhouette. Fille des Ponteauzanne, elle vit encore chez ses parents. Elle aime son chien (p. 43). Elle aime aussi Nicolas au point d'espérer se marier avec lui, mais elle se résigne finalement à ce que cette union soit impossible. Boris Vian renverse les a priori sociaux : ce n'est pas Nicolas le cuisinier qui est indigne de la jeune bourgeoise, mais elle qui ne peut prétendre l'épouser (p. 239). Se contentant alors de goûter la relation sexuelle qu'elle peut avoir avec Nicolas (p. 117), Isis est une jeune fille légère qui prend la vie comme elle vient.

Comme Isis, Chloé et Alise sont toutes deux des amoureuses passionnées qui désirent le mariage mais, contrairement à elle, elles parviennent à leur fin ou refusent de se résigner. Avant de tomber malade, Chloé se montre entreprenante avec Colin (p. 36). Elle se marie avec lui. Mais à partir du moment où elle est malade, elle semble résignée. Certes, elle demande plusieurs fois à Colin de la serrer contre lui (p. 120, 131). Mais elle pleure souvent (p. 178, 190). Femme enfant, douce et fragile, elle attend soin et protection de l'homme qu'elle aime.

Alise se distingue de Chloé par sa force de caractère. Au début du roman, elle est en effet le seul personnage féminin à avoir une activité sociale puisqu'elle suit les cours de Partre. Certes, dès qu'elle tombe amoureuse de Chick, Alise cesse de s'intéresser à ses études. Mais elle se bat alors pour sauver son amour. Alise n'accepte pas que Chick l'abandonne. Elle se venge en tuant Parte (chap. LVI), en tuant les libraires qui ont vendu ses livres à Chick et en incendiant leur magasin (chap. LVII). Mais la révolte d'Alise ne conduit pas plus au bonheur que la résignation de Chloé. Comme Chloé et Colin, Alise et Chick meurent tous deux dans des circonstances dramatiques.

Ainsi, malgré leur apparente ressemblance, on distingue entre les six personnages principaux du roman des différences de statut social et de caractère. Mais leur principale différence réside dans leur manière d'envisager les sentiments amoureux. C'est elle qui explique en effet la différence de leur destin.

LES TROIS COUPLES

Le roman compte trois couples dont les destins divergent et dont l'importance est inégale du point de vue de l'intrigue : d'abord Colin et Chloé, puis Chick et Alise, enfin Nicolas et Isis.

Colin et Chloé

L'histoire de Colin et de Chloé occupe de loin la première place. Le lien qui unit les deux jeunes gens semble un amour total. Chloé malade attend tout de Colin, et Colin est prêt à tout pour sa femme. Sauver Chloé devient sa seule raison de vivre. « Moi, il faut que je guérisse Chloé, et tout le reste m'est égal [...] », dit-il (p. 208). Il se ruine pour elle en consultations médicales, en médicaments et en fleurs. Cela le conduit tout d'abord à vendre son pianocktail (chap. XLV). A nouveau à court d'argent, lui qui n'a apparemment jamais exercé d'emploi, fait alors le sacrifice suprême de travailler d'abord dans une usine d'armement (chap. LI), puis à la « Réserve d'Or » (chap. LXI), enfin comme annonciateur de mauvaises nouvelles (chap. LXIII). La mort de sa femme sonne le glas de sa propre existence. Au dernier chapitre du roman, il est sur le point de se suicider en se jetant à l'eau (chap. LXVIII). Avec la disparition de Chloé, il a perdu sa raison de vivre[1].

Chick et Alise

Entre Chick et Alise, le malentendu est complet. Ils se rencontrent à une conférence de Partre (p. 33). Mais tandis que Chick privilégie Partre, Alise préfère Chick. « Je t'aime mieux que Partre », confie Alise à Chick (p. 84). « Mais lui aime mieux ses livres » (p. 197), avoue-t-elle plus loin à Chloé. L'amour de Chick et d'Alise est donc impossible.

La relation entre Colin et Chloé témoigne d'un pessimisme encore plus grand que celle entre Chick et Alise.

---

1. cf. chap. 6, p. 33 : « L'impossible amour », chapitre dans lequel l'amour de Colin pour Chloé apparaît plus contrasté.

Que deux personnages comme Alise et Chick ne parviennent pas au bonheur semble normal, dans la mesure où Chick ne partage pas les sentiments qu'Alise éprouve à son égard. Mais Colin et Chloé s'aiment. On pourrait s'attendre à ce qu'ils connaissent, eux, le bonheur. Or, ce n'est pas le cas, car Chloé est malade. En conclusion, le bonheur semble être incompatible avec l'amour. Boris Vian semble vouloir convaincre le lecteur que l'amour, qu'il soit partagé ou non, est lié à la mort.

Nicolas et Isis

Nicolas et Isis connaissent un destin plus enviable. Certes Nicolas n'épouse pas Isis, mais l'un et l'autre survivent. La raison semble en être, comme on l'a déjà dit, qu'ils ne sont pas habités par la même passion que les autres personnages. Isis veut la main de Nicolas, mais elle ne se révolte pas contre l'impossibilité de cette union. Quant à Nicolas, il ne se soucie en toute circonstance que de son plaisir. Entre Chick que dévore sa passion pour Partre, et Colin qui incarne l'idée d'un amour total, Nicolas est l'homme pour lequel les femmes sont une denrée comestible au même titre que les mets qu'il est chargé de cuisiner. Pragmatiques, Nicolas et Isis acceptent la réalité telle qu'elle est. Isis reste chez ses parents, les Ponteauzanne, et Nicolas accepte de quitter son maître Colin pour travailler chez eux. Intégrés à la société, soit par la famille, soit par le travail, ils sont la preuve que la vie peut continuer à condition de faire le deuil d'une impossible passion. Colin, Chloé, Chick et Alise, eux, sont des passionnés et se battent en vain contre cette image minimaliste et conventionnelle du bonheur qu'incarnent Nicolas et Isis.

4 L'espace et le temps

UN CADRE SPATIO-TEMPOREL RÉALISTE

Le monde que décrit *L'Écume des jours* ressemble au monde réel par bien des aspects, et en particulier par son cadre spatio-temporel.

Pour ce qui est de l'espace, de nombreux lieux ancrent très précisément le récit dans Paris et dans la région parisienne. La patinoire Molitor existe effectivement : elle est située dans l'Ouest de Paris (p. 35). Nicolas évoque Neuilly (p. 48) et Colin parle d'Auteuil (p. 58). Quand il envisage les lieux où il pourrait se promener avec Chloé, Colin évoque l'hôpital Saint-Louis, le musée du Louvre et la gare Saint-Lazare (p. 76).

Pour ce qui est du temps, le récit est indissociable de l'époque de la Libération, de ces années 1945-1946 qui virent s'épanouir l'existentialisme et le jazz dans le quartier parisien de Saint-Germain-des-Prés. Apparaissent ici et là dans la fiction des allusions très précises qui évoquent le Paris de cette époque[1]. L'immédiat après-guerre est donc présent dans le roman mais aussi, plus subtilement, la période de la guerre elle-même. En effet, la soirée chez Isis (chap. XI) renvoie davantage aux surprises-parties des jeunes zazous qu'aux nuits dans les caves de Saint-Germain-des-Prés. On retrouve, dans cette fête, les soirées zazoues de Ville-d'Avray[2] décrites plus longuement dans un roman largement autobiographique de Boris Vian, *Vercoquin et le plancton* (1943).

---

1. Cf. chap. 8, p. 47 : « La critique de l'existentialisme », et chap. 9, p. 55 : « Le culte de l'inventivité et du jazz ».
2. Cf. Chap. 1, p. 6 : « Vie et œuvre de Boris Vian ».

Si l'on suit précisément le temps romanesque, on remarque des notations descriptives qui font allusion à la succession des saisons. Le roman semble commencer en hiver. En effet, quand Colin se rend chez les Ponteauzanne, il fait un froid glacial, le vent souffle et l'eau gèle sur les trottoirs (p. 60). Au moment du mariage, il fait encore froid, mais le ciel est bleu. Les premiers bourgeons apparaissent (p. 90). « L'hiver tirait à sa fin », peut-on lire page 105. Le retour de voyage de noces semble avoir lieu au printemps. Des « odeurs de bourgeons et de fleurs » se répandent dans l'air (p. 175). « C'est le printemps ! », s'exclame Colin (p. 182). L'enterrement de Chloé a lieu probablement à l'automne comme l'indiquent les brumes et la chute des feuilles. Dans le ciel, il n'y a qu'un « halo blanc, sans éclat » (p. 296).

TRANSFORMATIONS DE L'ESPACE ET DU TEMPS

Le cadre spatio-temporel subit cependant un certain nombre de transformations qui écartent le roman du réalisme.

La dégradation de l'espace

Tout d'abord, en ce qui concerne l'espace, on remarque un triple phénomène d'assombrissement, de réduction et de liquéfaction. La narration décrit plusieurs fois les mêmes lieux et signale leur dégradation au fil du temps. Ainsi, un lieu enchanteur dans une première scène devient ensuite un lieu de désolation dans une deuxième scène. Ainsi l'église, tout d'abord lieu enchanteur du mariage de Colin et Chloé (chap. XXI), réapparaît comme un lieu sombre et triste pour l'enterrement de Chloé (chap. LXV). Ces contrastes descriptifs structurent tout l'espace du roman.

Ce phénomène de dégradation concerne en premier lieu l'appartement de Colin. Au début du roman, l'appartement se caractérise par sa lumière dorée. Le sol de la salle de bain est « jaune clair » (p. 20) et les rayons du soleil brillent sur les robinets de la cuisine (p. 22). Après le mariage, la chambre est encore « assez élevée de plafond » et prend jour « sur le dehors par une baie de cinquante centimètres de haut » qui longe tous les murs (p. 115). L'appartement confortable de Colin est alors le cadre idéal pour assurer le bonheur des jeunes mariés.

Mais très vite, toutes les pièces de l'appartement s'assombrissent et se rétrécissent. Ainsi, c'est le cas du couloir d'entrée (p. 182, 237 et 290). La dégradation la plus dramatique a lieu dans la chambre des mariés. Chloé remarque que les murs et la fenêtre se rétrécissent (p. 196). La baie vitrée qui court le long des murs de la chambre se limite bientôt à « deux rectangles oblongs » (p. 196), puis à « quatre petites fenêtres carrées » (p. 225) dont l'une se ferme complètement (p. 239). Une « lumière un peu grise » remplace le beau soleil du début du roman (p. 225).

Cette dégradation transforme finalement l'appartement en marécage. Deux phénomènes principaux illustrent cette transformation. D'une part, la lumière se liquéfie, puisque les rayons du soleil laissent sur les murs de « longues traces humides » (p. 207). D'autre part, « des projections mi-végétales, mi-minérales » envahissent les pièces de l'appartement (p. 282). A la fin du roman, l'appartement baigne dans une « obscurité humide » (p. 282), et le parquet giclant sous les pas devient froid « comme un marécage » (p. 238).

Cette dégradation n'est pas seulement le propre de l'appartement de Colin. Elle concerne aussi le monde extérieur, la ville ainsi que les éléments naturels. Comme l'appartement, au début du roman, la ville est illuminée de couleurs claires. Les rues sont « lumineuses » (p. 44), le ciel est « clair et bleu » (p. 90). Puis, très vite, la ville s'assombrit elle aussi et la terre perd sa fermeté. Chloé se plaint de la lumière dès le voyage de noces (p. 119). Le climat devient humide. La lumière du jour prend « un éclat glauque et incertain » (p. 241). Quand Colin marche, ses pieds s'enfoncent « dans la terre chaude » (p. 241). L'invasion de la couleur rouge, à laquelle se joint le noir, caractérise la transformation de la ville. Ainsi, l'usine dans laquelle travaille Chick est obscurcie par « une bouffée de vapeur et de fumée noire » (p. 228) et éclairée seulement par « une ampoule rougeâtre » (p. 228). Cette couleur rouge prédomine aussi dans l'usine d'armement où travaille Colin (p. 242). Le rouge, couleur des flammes de l'enfer, renvoie à la souffrance des hommes, damnés dans un monde devenu lui aussi semblable à l'enfer.

Finalement, le monde extérieur devient identique à l'intérieur de l'appartement. Ainsi, la dernière scène du roman se déroule dans une île marécageuse. « Le cimetière des pauvres » où est enterrée Chloé est couvert de « brouillard ». Le sol est « poreux et friable ». L'écorce des arbres est « spongieuse ». Le ciel est « croisé de noir » (p. 296). L'île des morts, de même que l'appartement de Colin, est un véritable marécage.

L'accélération du temps

La dégradation qui concerne l'espace est aussi à l'œuvre dans le temps. Cette dégradation apparaît sous les aspects de l'accélération. Certes, l'évocation successive de l'hiver, du printemps et de l'automne correspond à une chronologie réaliste. Mais on remarque que le récit passe directement du printemps à l'automne. L'été est absent. A l'échelle du roman tout entier, c'est là un premier signe révélateur de l'accélération du temps.

A l'échelle plus réduite d'un chapitre, le temps semble se plier à la subjectivité des personnages. Il est une durée intérieurement vécue et transformée, au point de subir un processus d'accélération. Celle accélération, ambivalente, est connotée positivement quand elle permet la réalisation rapide des désirs heureux, mais négativement quand elle témoigne du malheur des personnages.

Le premier chapitre fournit un exemple d'accélération positive. La scène a lieu un samedi soir. Colin attend Chick dont il est dit cependant qu'il ne vient habituellement lui rendre visite que tous les lundis. « [...] mais Colin se sentait l'envie de voir Chick [...] », souligne le texte (p. 21). La suite du chapitre va réaliser ce désir :

> « A peine acheva-t-il ses préparatifs que la sonnette se détacha du mur et le prévint de l'arrivée de Chick ».
>
> (p. 26)

Est-on toujours le samedi soir, ou la scène se déroule-t-elle le lundi suivant ? Le texte ne donne pas de précision.

Il est cependant clair que le désir de Colin a suscité une accélération du temps et provoqué l'arrivée de Chick.

Au contraire, l'accélération du temps a une portée négative dans le cas du vieillissement des personnages. Ce vieillissement concerne au moins deux personnages. Tout d'abord, Nicolas a l'air d'avoir vingt et un ans, mais il en a en fait vingt-neuf, et son passeport indique mystérieusement qu'il a trente-cinq ans. « J'ai l'impression que je vieillis », confie-t-il à Isis (p. 194). Il explique ensuite que son brusque vieillissement est causé par l'aggravation de la maladie de Chloé. Plus celle-ci est malade, plus Nicolas compatit à son mal et prend de l'âge. Ce vieillissement constitue une projection de la douleur psychique sur un état physique. Un autre personnage affecté de ce brusque vieillissement est l'homme qui accueille Colin à l'usine d'armement. Lui aussi a vingt-neuf ans, mais il ressemble à un vieillard (p. 243). Il explique lui-même que ce vieillissement est le résultat d'un an de travail dans l'usine. Dans ce cas, c'est la dureté du travail industriel qui cause l'accélération du temps.

FONCTION SYMBOLIQUE DE LA DÉGRADATION

Cette étude de l'espace et du temps montre que, dans *L'Écume des jours*, toute perception de la réalité est subjective. Le cadre spatio-temporel est une variable qui, suivant l'évolution des personnages, est remis en question à chaque page. *L'Écume des jours* s'éloigne ainsi du roman réaliste dans lequel le cadre spatio-temporel demeure stable. Il gagne en revanche une évidente dimension symbolique.

Pour ce qui est de l'accélération du temps, le fait d'omettre l'été indique le règne sans partage de la décrépitude naturelle et de la mort. Les promesses du printemps, saison traditionnelle du mariage et du bonheur amoureux, ne sont pas tenues. On bascule immédiatement vers la désillusion automnale. Cette saison, qui sert de cadre aux derniers chapitres du roman, peut être mise en relation avec le processus de vieillissement accéléré des personnages. Tout vieillit, les hommes comme la nature. La maladie de Chloé est un processus de mort accélérée qui entraîne dans sa déchéance tout l'univers romanesque.

Pour ce qui est des transformations spatiales, la réduction de l'appartement de Colin est la transposition matérielle de l'angoisse des personnages devant la mort. Ce rétrécissement de la chambre est la projection subjective de Chloé autant que de Colin : la première est malade des poumons, le second est angoissé. Tous deux peinent à respirer, ce qui se matérialise par le fait que l'air manque, que l'espace se réduit. Un passage du texte explicite clairement cette transformation subjective de l'espace par les émotions des personnages. Colin est à la patinoire, on le demande au téléphone. Il apprend que Chloé a eu une syncope. « Les parois de la cabine se resserraient et il sortit avant d'être broyé [...] » (p. 151). Ce n'est pas la gorge de Colin qui se serre, c'est la cabine téléphonique dans laquelle il se trouve. L'angoisse intérieure de Colin est projetée avec une extrême violence sur la réalité extérieure.

La mort des personnages entraîne avec elle la mort du monde. En ce sens, on ne peut parler de décor pour une telle œuvre. Tout le cadre spatio-temporel participe à l'action. En littérature, ce procédé de contamination du monde extérieur par l'intériorité des personnages fut particulièrement utilisé par les Romantiques. Boris Vian le pousse à son point extrême. Grand amateur de culture anglo-saxonne, il fut aussi sans doute influencé par le roman de Faulkner, *Moustiques*[1], qui se déroule en Louisiane, dans ce milieu sombre et marécageux qu'on appelle les bayous. Dans le roman de Faulkner comme dans celui de Boris Vian, le décor extérieur exprime, selon un système global de correspondances symboliques, le malheur intérieur des personnages. Au bonheur des personnages succède leur malheur. A un monde lumineux et ferme succède un monde sombre, étroit et marécageux.

---

1. William Faulkner (1897-1962), écrivain du Sud des États-Unis, publie *Moustiques* en 1927.

5 Une narration sous le signe du cinéma

LES RYTHMES DE LA NARRATION

Le récit romanesque peut suivre trois rythmes différents : la scène, le sommaire et la description[1].

La scène

Dans la scène, le temps qui est décrit dans le récit est environ égal au temps que le lecteur met à lire le texte. Le narrateur raconte ce qui se dit ou se passe comme s'il cherchait à rendre la durée temporelle dans une succession qui ressemble à celle de la vie réelle. C'est le cas de la plupart des passages de *L'Écume des jours*. Le découpage en chapitres se fait, schématiquement, selon les séquences d'un découpage cinématographique. A chaque chapitre correspond une scène. Les changements de lieu impliquent un changement de chapitre. Ainsi, Colin marche dans la rue (chap. X), se trouve chez Isis (chap. XI), puis chez lui (chap. XII). Cela explique l'inégalité de longueur entre les soixante-huit chapitres qui constituent le roman. Ils occupent entre moins de deux pages (chap. XXVII) et treize pages (chap. I). Cependant, pour ne pas trop déséquilibrer les chapitres, les scènes les plus longues s'étalent sur deux chapitres. C'est le cas du mariage qui occupe les chapitres XXI et XXII. Mais une scène courte donne immanquablement lieu à un chapitre court. C'est le cas de la scène qui décrit Colin et Chloé au réveil lors de leur voyage de noces.

---

1. Ces trois vitesses de la narration ont été distinguées par Gérard Genette dans *Figures III*, « Poétiques », Le Seuil, 1972.

Les scènes dialoguées tiennent la plus grande place. Si l'on prend comme exemple les dix premiers chapitres du roman, on s'aperçoit que cinq d'entre eux sont uniquement constitués de dialogues (chap. II, VI, VII, VIII, IX). De surcroît, les autres chapitres comptent de nombreux passages dialogués. On peut conclure qu'une bonne moitié du roman, voire les deux-tiers, est composée de dialogues. Si l'on ajoute à cela les abondantes notations de geste et d'intonation au cours des scènes, le roman présente un aspect très vivant. Ainsi, lors du dialogue entre Coriolan et Pégase (p. 92-93), les deux personnages parlent tour à tour sur un ton « menaçant », « un peu inquiet », « avec dégoût », « avec envie »... Ils se répètent, rougissent, se regardent... Le lecteur a l'impression d'assister en direct à une scène de cinéma.

Le sommaire

Le sommaire consiste à présenter en quelques phrases des événements qui se sont déroulés sur une période de temps variable, mais toujours assez longue. Dans le sommaire, le temps du récit est donc nettement inférieur au temps de la lecture. On trouve un exemple de sommaire au chapitre LXI. Colin travaille à la « Réserve d'Or ». Les verbes à l'imparfait indiquent que l'action décrite n'est pas considérée comme unique, mais qu'elle est au contraire répétée plusieurs fois. Le sommaire résume, il est donc peu vivant. C'est pourquoi il y a peu de sommaires dans *L'Écume des jours*. En effet, Boris Vian préfère mettre sous les yeux du lecteur les actions des personnages dans leur progression. Cela donne plus de vie au récit. Ainsi, le passé simple, qui présente l'action dans sa ponctualité, est le temps majoritaire. Il convient en effet tout particulièrement à la scène. Au contraire, l'imparfait, qui est lié au sommaire et qui présente l'action dans une durée sans début ni fin, est logiquement moins présent.

La description

L'esthétique de la scène cinématographique est complétée par des passages descriptifs. Ceux-ci remplacent la caméra et permettent, à grands traits, de fixer le décor.

Dans la description, le temps du récit n'avance pas tandis que le lecteur passe du temps à lire. En effet, lors d'une description, le récit ne présente aucune action, mais continue pourtant. C'est pour cette raison que, lorsque les passages descriptifs sont suffisamment longs, on parle de pause descriptive. Régulièrement, le narrateur décrit les lieux dans lesquels se déroule l'action. C'est le cas au chapitre I et dans la suite du roman pour l'appartement de Colin. Le plus souvent, il s'agit d'éléments descriptifs brefs qui n'occupent pas plus d'un court paragraphe. Les véritables pauses descriptives sont donc rares dans *L'Écume des jours*. La plus longue d'entre elles, qui occupe près de trois pages, décrit l'usine dans laquelle travaille Chick (p. 228-230). Outre la rareté de ces pauses descriptives, on note qu'elles n'occupent jamais un chapitre entier. La description est toujours encadrée, voire interrompue, par des dialogues ou des actions. C'est ainsi le cas lors du mariage de Colin et Chloé (chap. XXI). La description de l'église est entrecoupée de dialogues ou de déplacements des personnages. Les éléments descriptifs s'ajoutent les uns aux autres par petites touches. Dans ce cas, où la description ne constitue pas une pause isolable dans le récit, on parle de description narrativisée.

Il apparaît donc que la priorité est nettement donnée à la scène dans *L'Écume des jours*. Boris Vian fixe le décor par une description mais centre la narration sur les actions et les paroles de ses personnages.

LES VOIX DE LA NARRATION

Les « voix » désignent les différentes instances qui prennent à leur compte la narration : ce sont soit les personnages qui parlent, soit le narrateur, soit l'auteur lui-même[1].

Un auteur absent et un narrateur discret

Les intrusions d'auteur sont inexistantes dans *L'Écume des jours*. Certes, sur un plan très général, on peut dire

---

1. Ces trois voix de la narration ont été distinguées par Gérard Genette dans *Figures III*, « Poétiques », Le Seuil, 1972.

que l'histoire témoigne d'une vision du monde qui est celle de Boris Vian. Mais l'auteur lui-même ne prend pas à son compte la narration. Après l'avant-propos, Boris Vian disparaît complètement en tant qu'auteur.

L'Écume des jours contient peu de commentaires du narrateur. Celui-ci ne porte pas de jugement sur l'action en train de se dérouler. Aucune vérité générale ne vient expliquer l'enchaînement des événements ou déduire d'eux des conclusions. Les rares passages de commentaire sont présentés sur le mode humoristique. Ainsi, le narrateur justifie le prénom du Chuiche par cette remarque : « Presque tous les Chuiches professionnels s'appellent Joseph, en effet » (p. 94). Cette pseudo-vérité générale, censée justifier le prénom du personnage, constitue une parodie d'explication réaliste. Le narrateur exhibe par ce procédé la décision arbitraire du romancier qui peut donner n'importe quel nom aux personnages.

La voix des personnages

Notons en revanche la place importante qu'occupe la parole des personnages dans *L'Écume des jours*. Dans les scènes dialoguées, le discours direct abonde. Les paroles des personnages sont rapportées dans leur forme originale. On observe même une intrusion du discours direct dans la narration elle-même, une première fois lorsque Colin pense au mariage qui va l'unir à Chloé (p. 89-90), une seconde fois alors qu'il se précipite vers l'appartement après avoir appris qu'elle venait d'avoir une syncope (p. 154). Colin monologue. Dans le premier cas, il chante le désir qu'il a du corps de Chloé. Dans le second cas, qui forme un contraste parfait, Colin exprime l'incompréhension devant le malheur de la condition humaine. « [...] pourquoi ça ne suffit pas de toujours rester ensemble, il faut encore qu'on ait peur [...] », se dit-il. Le discours direct envahit la narration à un moment d'extrême intensité du sentiment. Il permet de donner plus de force expressive à l'émotion du personnage.

Le discours indirect se caractérise par l'intégration de la parole des personnages dans une subordination. Cette parole perd donc son autonomie. Cela implique la transposition des personnes (passage de la première à la troisième personne) et éventuellement du temps des verbes (dans le cas d'une narration faite au passé), ainsi que la présence d'un verbe introducteur et d'un mot subordonnant. Moins vivant que le discours direct, le discours indirect est absent de *L'Écume des jours*.

Le discours indirect libre, enfin, est un mélange de discours direct et de discours indirect. Comme le premier, il fait l'économie de la subordination, mais comme le second, il exige la transposition de la personne et éventuellement du temps des verbes. Intégré dans le récit, il permet au narrateur de faire connaître la pensée de ses personnages sans reprendre mot à mot leurs propos. On trouve un exemple de discours indirect libre peu après que Colin a exprimé au discours direct son désir de revoir Alise : « C'était une pensée à éviter. Alise appartenait à Chick de plein droit » (p. 45). La première phrase indique clairement que la seconde phrase nous livre un discours intérieur que Colin se fait à lui-même. Mais ce type de discours est très rare dans *L'Écume des jours*. Fidèle à son esthétique de la scène cinématographique, Boris Vian préfère livrer directement la parole des personnages.

LES FOCALISATIONS DE LA NARRATION

Le terme de « focalisation » désigne le point de vue à partir duquel est décrite l'action. A la focalisation omnisciente, qui décrit l'action mais aussi l'intériorité des personnages, on oppose les focalisations restrictives : la focalisation interne qui donne le point de vue d'un seul personnage ; la focalisation externe qui se limite aux seules manifestations extérieures des personnages[1].

La focalisation omnisciente

La focalisation est dite omnisciente (ou « zéro ») quand c'est le narrateur qui décrit l'action à partir d'une position

1. Ces trois focalisations ont été distinguées par Gérard Genette dans *Figures III*, « Poétiques », Le Seuil, 1972.

qui lui permet de tout voir, jusqu'à l'intériorité des personnages. Ainsi, lors de la fête chez Isis, Colin parle pour la première fois à Chloé. « Et puis il s'enfuit, parce qu'il avait la conviction d'avoir dit une connerie » (p. 65). La proposition subordonnée de cause (« parce que ») introduit une explication qui indique que le narrateur a accès à l'intériorité de Colin. Mais, dans *L'Écume des jours*, le narrateur n'apporte que très rarement un savoir psychologique de ce type sur les personnages.

L'omniscience se manifeste davantage à travers l'ubiquité du narrateur. Ce dernier est en effet capable de décrire des scènes simultanées mais se déroulant dans des lieux différents. Ainsi, avant le mariage de Colin et Chloé, on assiste successivement aux préparatifs des frères Desmarais (chap. XVII), à ceux du personnel religieux (chap. XVIII), des jeunes femmes, Chloé, Isis et Alise (chap. XIX), et des jeunes hommes, Colin et Chick (chap. XX). Au chapitre suivant, tout ce monde se rend à l'église. Cette succession de chapitres fait penser au montage cinématographique dans lequel des personnages évoluent dans des lieux différents puis se retrouvent, dans la scène suivante, dans un même lieu.

La focalisation externe

C'est la focalisation externe qui est très majoritairement présente dans *L'Écume des jours*. Celle-ci consiste à décrire de l'extérieur les faits et gestes des personnages sans avoir accès à leur intériorité. Ainsi, les premières lignes du roman présentent un portrait physique de Colin mais résument son portrait psychologique au seul adjectif de « gentil ». Le narrateur ne rapporte que ce qu'un spectateur de la scène pourrait voir. Sous ce rapport, la technique romanesque de Boris Vian se rapproche du behaviorisme[1]. Comme dans le behaviorisme, en effet, c'est seulement à partir du comportement des personnages que le lecteur peut déduire l'état psychologique dans lequel ils se trouvent. Cette focalisation est caractéristique

---

1. Le terme de *behaviorisme* vient du mot anglais « behavior » qui signifie « comportement ».

des romanciers américains comme Hemingway[1] dont Boris Vian était un lecteur assidu. Elle est d'autre part nettement influencée par le cinéma. Le narrateur décrit la scène comme une caméra qui saisit uniquement ce qui se trouve dans son champ de vision.

La focalisation interne

Il existe enfin un troisième type de focalisation : la focalisation interne. Dans ce cas, l'histoire est décrite du point de vue subjectif d'un personnage qui participe à l'action. Ce point de vue est assez courant dans *L'Écume des jours*. On en trouve un exemple dans un passage où Colin court rejoindre Chloé.

> « Il courait de toutes ses forces, et les gens, devant ses yeux, s'inclinaient lentement, pour tomber, comme des quilles [...] ». (p. 153)

La chute des passants décrit les effets subjectifs de la vitesse du déplacement. Elle donne l'impression que Colin a une caméra sur l'épaule, et que c'est cette caméra qui enregistre la déformation du monde extérieur sous l'effet de la vitesse. On retrouve surtout la focalisation interne à chacune des visites que les personnages rendent à Chloé. C'est d'abord Alise qui remarque la dégradation de l'appartement. « La porte d'entrée lui paraissait plus étroite que d'habitude. Le tapis semblait terne et aminci » (p. 193). Les verbes « paraître » et « sembler » indiquent clairement qu'il s'agit de la subjectivité du regard d'Alise. Plus tard, Chick (p. 203), Mangemanche (p. 224), Isis (p. 236), Colin (p. 251) et Nicolas (p. 282) noteront eux aussi cette dégradation. A chaque fois, la focalisation interne intervient à des moments de haute tension affective. Saisi dans sa subjectivité, le regard des personnages renforce le pathétique de la scène.

---

1. Ernest Hemingway (1899-1961) est un écrivain américain dont l'œuvre a grandement influencé les écrivains français après la seconde guerre mondiale.

6 L'impossible amour

DE LA NAISSANCE DU DÉSIR A LA NAISSANCE DE L'AMOUR

Le désir

L'Écume des jours présente toutes les étapes de l'amour : naissance du désir, coup de foudre, premier baiser et premières caresses. Alise est le premier personnage pour lequel Colin éprouve du désir. Selon le modèle de la triangulation[1], il désire celle qui est désirée par un autre. L'amour que Chick éprouve pour Alise donne du prix à cette dernière et la rend désirable aux yeux de Colin (p. 45). Il l'avoue d'ailleurs sans détour à Nicolas, qui est l'oncle d'Alise : « Je voudrais une âme sœur du type de votre nièce » (p. 55). Comme Alise est déjà amoureuse de Chick, Colin est contraint de se mettre en quête d'une autre jeune femme.

Avant d'aimer Chloé, Colin désire tomber amoureux. « [...] j'ai tant envie d'être amoureux » (p. 55), dit-il à Nicolas avant de se rendre chez les Ponteauzanne. Le désir de l'amour précède l'amour lui-même. C'est une aspiration vide d'objet qui attend un être pour la combler. C'est pourquoi, sans penser à une femme en particulier, Colin pense abstraitement au corps de la femme avant de se rendre chez Isis. La porte de sa chambre claque, et il imagine le bruit d'une main nue sur une fesse nue. La porte

1. On parle de *triangulation* quand un individu désire un objet parce que cet objet est désiré par un autre individu (Cf. René Girard, *Mensonge romantique et vérité romanesque*, p.11-57, Grasset, 1961).

de sa maison claque à son tour, et cette fois il pense au bruit d'un baiser sur une épaule également nue (chap. X).

Initialement, le désir de l'amour est avant tout d'ordre physique. L'érotisme apparaît dans des descriptions courtes mais précises. Deux pôles attirent plus particulièrement Colin : les cheveux et les jambes. Ainsi il goûte l'odeur des cheveux d'Alise à la patinoire (p. 40). Quand il pénètre chez Isis, il regarde les jeunes femmes qui montent l'escalier devant lui. Tout un paragraphe décrit leurs jambes et les bas qui les couvrent (p. 62). L'érotisme se teinte de fétichisme[1]. De même que le désir des cheveux est lié à leur odeur, le désir des jambes est lié au port des bas. C'est par le biais du désir que Colin découvre l'amour.

Coup de foudre et déplacement du désir

Mais à partir de cette reconnaissance du désir, deux logiques affectives s'opposent dans *L'Écume des jours*. La première consiste en une circulation du désir qui lie les personnages les uns aux autres sans obligation de fidélité. Nicolas incarne cette conception libertine de la relation entre hommes et femmes. Il n'hésite pas, en effet, à profiter des bonnes fortunes qui s'offrent à lui[2]. Nicolas cède au désir sans céder à l'amour. Pour lui, la satisfaction des sens est plus attractive que les sentiments. Colin lui-même n'est pas à l'abri de telles tendances. Son attirance pour Alise se prolonge tout au long du roman. Ainsi il l'embrasse peu avant la noce (p. 106). Plus tard, Alise se déshabille devant lui et il lui demande à nouveau de l'embrasser (p. 253). Tous deux regrettent même de ne pas s'être rencontrés avant que Chloé et Chick envahissent leur vie respective. On est là en présence d'un amour immature, d'un amour qui ne se fixe pas parce qu'il est davantage lié au désir qu'au sentiment.

---

1. En psychanalyse, on parle de *fétichisme* quand le désir sexuel ne peut être stimulé sans la présence et l'usage d'un objet déterminé, le fétiche. Ici, les cheveux et les jambes des femmes sont les fétiches de Colin.
2. Cf. Chap. 3, p. 13 : « Les personnages ».

Au contraire, le coup de foudre entre Colin et Chloé les fait entrer dans une autre logique qui est celle des sentiments.

> « Il se fit un abondant silence à l'entour, et la majeure partie du reste du monde se mit à compter pour du beurre ».
> (p. 67)

Le coup de foudre ne signifie pas la négation du désir. A peine Colin rencontre-t-il Chloé que leurs deux corps entrent en contact (chap. XI). Il l'embrasse entre l'oreille et l'épaule, il passe un bras autour de son cou, défait le premier bouton de sa robe, mordille ses cheveux. L'attirance qu'ils éprouvent l'un pour l'autre est d'abord une attirance physique. Mais le coup de foudre les fait entrer dans une logique qui n'est plus seulement sexuelle. Le sentiment qu'ils éprouvent l'un pour l'autre les conduit à se marier. La fidélité qu'implique le mariage interrompt le déplacement immature du désir.

LA MALADIE DU NÉNUPHAR

Les étapes d'un mal fatal

La cérémonie du mariage est à peine achevée que Chloé subit les premières atteintes de son mal. Sur le perron de l'église, « Chloé se mit à tousser [..] » (p. 114). Suivent les étapes de sa déchéance physique. Lors du voyage de noces, Chloé touche de la neige, et le froid la fait tousser à nouveau (p. 129). Plus tard, elle a « une syncope » (p. 151). Il y a bien quelques rémissions, en particulier au retour de ce voyage et après l'opération de son poumon droit. Mais ni cette opération (p. 225), ni le séjour à la montagne de Chloé (p. 222), ni les pilules (p. 176), ni l'interdiction de boire (p. 195) n'interrompent la progression de la maladie. Pour lutter contre la maladie, Colin doit aussi acheter de nombreuses fleurs qui sont censées la guérir. Orchidées, roses, hortensias, œillets, camélias, fleurs de pêcher et brassées de jasmin envahissent la chambre de Chloé (p. 195). Mais ces fleurs, qui sont un symbole de l'amour que lui porte Colin, ne guérissent pas

Chloé. L'amour de Colin, pas plus que les prescriptions du professeur Mangemanche, ne guérissent Chloé.

La maladie est étrange. Le narrateur parle d'une « présence opposée », d'une « malignité insidieuse », d'un « adversaire accroché à sa chair profonde » (p. 155). Le professeur Mangemanche reste d'abord imprécis (p. 162) et ne prononce son diagnostic qu'au bout de la deuxième consultation (p. 191). Il s'agit d'un nénuphar qui s'est installé dans le poumon droit de Chloé et qui bientôt s'installe dans le poumon gauche. On pense bien sûr à la tuberculose pulmonaire provoquée par le *Mycobacterium tuberculosis* (bacille de Koch) qui est une bactérie, c'est-à-dire une plante. Avec Chloé, la dame aux camélias[1] devient, au pied de la lettre, dame au nénuphar.

Une maladie contagieuse

Cette inefficacité des fleurs est d'autant plus tragique que, pour se les procurer, Colin paye de sa personne. Les cent mille doublezons qu'il possédait au début du récit (p. 86) sont bientôt dépensés. Il doit vendre son pianocktail et trouver du travail pour gagner de l'argent et acheter à Chloé les fleurs dont elle a besoin pour survivre. Dans l'usine d'armement dans laquelle il travaille, les fusils poussent grâce à la chaleur de son corps. Ce travail entraîne un vieillissement accéléré comme en témoigne l'individu qui reçoit Colin dans l'usine. Il a vingt-neuf ans mais semble un vieillard après avoir exercé ce travail seulement un an (p. 243). Ainsi, pour sauver la vie de Chloé, Colin est contraint de détruire la sienne. Il semble que, dans le couple, la vie de l'un ne peut durer qu'aux dépens de celle de l'autre. Dans la « Réserve d'Or », Colin n'est plus le beau jeune homme qu'il était au début du récit. Il souffre du pied droit et des jambes (p. 281).

Cette dégradation touche aussi d'autres personnages quand ils s'approchent du couple. C'est d'abord Nicolas qui est atteint par le vieillissement, comme il le fait lui-

---

1. *La Dame aux camélias* (1852) est une pièce d'Alexandre Dumas fils (1824-1895). Marguerite Gautier, l'héroïne, tient son nom du camélia blanc qu'elle porte sur sa robe. Elle meurt de tuberculose.

même remarquer à Alise. Son passeport indique trente-cinq ans alors qu'il n'en a que vingt-neuf et qu'auparavant il semblait en avoir vingt-et-un (p. 194). L'architecte qui vient inspecter le mauvais état de l'appartement est à son tour atteint. Il tombe malade (p. 207). Les fleurs elles aussi dépérissent. Ainsi « le gros œillet rouge » qu'Isis porte dans ses cheveux, meurt peu après que Chloé l'a respiré (p. 239). Autour de Chloé, tout dépérit.

Il reste cependant à expliquer pourquoi mariage et déclaration de la maladie sont simultanés. Cette simultanéité est exprimée à deux reprises au moins : Chloé tousse pour la première fois devant l'église après le mariage (p. 114), et la seconde fois lors du voyage de noces en touchant de la neige dont la couleur blanche rappelle celle de sa robe nuptiale (p. 129).

UNE VIE CONJUGALE COUPABLE

Colin et Chloé face au désir

Nous avons vu que Colin découvrait les femmes par le désir qu'il éprouvait pour elles. Mais il craint aussi ce désir. Ainsi, à la patinoire, le corps d'Alise le trouble. « Un parfum délicieux montait des clairs cheveux d'Alise. Colin s'écarta un peu » (p. 40). Ce mouvement de recul signale nettement sa crainte. Plus tard, dans la rue, Colin croise deux amoureux qui s'embrassent et se met à courir : « Je ne, je ne veux pas les voir... Ils m'embêtent » (p. 60). Une première interprétation serait de dire que Colin est jaloux. Mais l'on peut comprendre aussi qu'il redoute ce contact physique avec la femme.

Cette crainte s'explique si l'on considère que le désir est lié à la mort. Se rendant à la fête d'Isis, Colin remarque une femme dans la rue. Les yeux de Colin sont attirés par « ses jolies jambes » (p. 60). Mais à peine l'a-t-il dépassée qu'il s'aperçoit qu'elle a « au moins cinquante-neuf ans ». Il se met à pleurer. La vue de cette femme entre deux âges éveille chez Colin l'angoisse de mourir. L'origine de cette angoisse se précise si l'on considère la menace de castration que fait peser sur lui la robe d'Isis, « petite robe toute simple » mais dotée dans le dos d'« une grille en fer forgée ». « Peut-on passer la main à travers sans être mordu ? », demande Colin. « Ne vous y fiez pas trop », répond Isis (p. 64). Le corps de la femme est dangereux. Le connaître, c'est courir le risque de la castration, du vieillissement et de la mort.

Or, ce danger est d'autant plus menaçant que Chloé n'éprouve pas les mêmes réticences que Colin face au désir. Dès leur rencontre, lors de la fête chez Isis, elle se montre fort entreprenante. C'est elle qui vient vers lui et colle sa joue contre la sienne (p. 66-67), elle encore qui le prend par le bras (p. 76). Plus tard, elle se plaint qu'ils ne font pas suffisamment l'amour. « Cela fait si longtemps que nous n'avons pas couché ensemble » (p. 179). Chloé a besoin du corps de Colin, mais Colin semble la craindre et se fait prier avant de finalement l'étreindre.

C'est surtout le désir dans le cadre de l'amour conjugal qui représente un danger pour l'homme. On peut vivre le désir sans amour, comme le fait Nicolas avec Isis, mais le désir joint à l'amour entraîne les pires catastrophes. C'est Chloé, femme mariée et pleine de désirs, qui constitue pour Colin un danger. La relation sexuelle seule est possible, mais l'amour conjugal nécessite le renoncement au sexe. Il faut choisir entre l'un et l'autre. Allier les deux est impossible.

La trahison de la mère

Dans *L'Écume des jours*, la vie conjugale apparaît comme une faute que l'homme doit expier. Quand Colin tente d'expliquer à Nicolas pourquoi il connaît tant de malheurs, il dit : « [...], c'est parce que je me suis marié et parce que... » (p. 223). Les points de suspension laissent inachevée la révélation de Colin, mais certains éléments du roman nous permettent de conclure à sa place. Le désir conjugal est une faute parce qu'il implique de la part de l'homme une trahison à l'égard de sa mère. L'absence soulignée de la maternité dans le roman constitue un indice de cette hantise de la figure maternelle. Dès le début du roman, Colin place au milieu de la table de sa salle à manger « un bocal de formol » qui contient « deux embryons de poulet » (p. 25). La maternité possible de Chloé paraît déjà condamnée à travers ces deux embryons qui symbolisent la mort de son enfant. Pourtant, « Chloé » signifie en grec « jeune pousse verte ». Ce prénom évoque Cérès, déesse grecque des moissons et de la maternité. Mais Chloé n'est à aucun moment enceinte. Lorsque l'hypothèse en est faite par le professeur, Colin la rejette même avec agacement : « Vous êtes idiot », dit-il au professeur (p. 161). Le nénuphar qui pousse dans les poumons de Chloé prend la place de l'enfant qu'elle aurait pu avoir. Non seulement Chloé ne sera pas mère, mais c'est une sorte de maternité qui la fait mourir.

L'interprétation du destin tragique de Chloé ne peut se comprendre que si l'on envisage le rapport ambivalent de Boris Vian avec sa mère, cette mère trop aimée et détestée dont il ne parvint pas à se séparer[1]. Boris Vian s'identifie au personnage de Colin. Trop attaché à sa mère, Colin rate son entrée dans le monde de l'amour adulte. A un premier niveau, il ne saurait être question que Chloé enfante, parce qu'en toute femme devenue mère, Boris Vian voit une image de sa propre mère. La maternité de Chloé réaliserait le désir de Boris Vian pour sa mère. Cela constituerait la transgression d'un interdit majeur : celui de l'inceste. A un second niveau, Chloé meurt parce que le simple fait qu'elle soit aimée de Colin évoque pour Boris Vian le sentiment de haine qu'il porte à sa propre mère. En tuant Chloé, Boris Vian se débarrasse d'une mère qu'il aime trop et dont, par conséquent, il est trop dépendant. Dans le roman de Boris Vian, c'est le trop-plein d'amour et de haine vis-à-vis de la mère qui suscite la destruction de la relation conjugale.

1. On peut lire dans *L'Écume des jours* toute l'ambivalence des sentiments de Boris Vian à l'égard des femmes. Ses œuvres ultérieures, en particulier *L'Herbe rouge* (1950), dénonceront plus nettement l'amour trop pressant de la mère comme la source du mal de vivre. Sur les rapports de Boris Vian avec sa mère, on lira avec profit la biographie de Philippe Boggio dont les références figurent dans la bibliographie en fin de volume.

7 Une société aliénante

CRITIQUE DU TRAVAIL INDUSTRIEL

Des conditions de travail inhumaines

Après l'amour, le travail est le second thème principal du roman de Boris Vian. C'est aussi le seul thème pour lequel il fait preuve d'un certain didactisme. A l'unanimité, les personnages expriment leur hostilité au travail. C'est d'abord le chapitre XXV qui, à travers une discussion entre Colin et Chloé, est entièrement consacré à ce thème. « Ce n'est pas tellement bien de travailler », commence Chloé. Et Colin confirme cette opinion : « En général, on trouve ça bien. En fait, personne ne le pense ». Plus tard viennent en écho les propos de Mangemanche et de Chick. « Le travail est une chose infecte [...] » dit le professeur à Colin (p. 227). Et plus loin, Chick rétorque à son employeur : « Je ne tiens pas à travailler. Je n'aime pas ça » (p. 233).

Ce dégoût est compréhensible si l'on considère que, dans le roman, les personnages sont confrontés à des conditions de travail inhumaines. Si l'on fait une lecture sociologique[1] du roman, plusieurs scènes renvoient explicitement au travail mécanique et impersonnel des ouvriers de l'industrie[2]. Ainsi, Chick travaille dans une usine sombre, bruyante et surchauffée.

---

1. La *lecture sociologique* d'un texte littéraire s'attache à montrer dans quelle mesure et selon quelles modalités un texte est le reflet ou le produit de la société dans laquelle il est apparu.
2. Dans *L'Automne à Pékin* (1947), Boris Vian ira plus loin en accusant précisément, non plus seulement le travail industriel, mais le système capitaliste.

« En bas, devant chaque machine trapue, un homme se débattait, luttant pour ne pas être déchiqueté par les engrenages avides. Au pied droit de chacun, un lourd anneau de fer était fixé ». (p. 229)

L'anneau de fer évoque les galères dans lesquelles les rameurs étaient enchaînés à leur banc. Cette notation fait du travail industriel une variation moderne de l'esclavage. Quand on passe du niveau des ouvriers à celui des cadres, on observe la même dépersonnalisation. Chick a beau être ingénieur, son initiative se limite à la surveillance de « la bonne marche des machines » dans l'un des nombreux ateliers que compte l'usine (p. 229). Pour le reste, les responsabilités sont divisées à l'extrême entre les chefs du personnel, du matériel et de la production (p. 232). Chaque employé connaît son secteur mais ignore tout du reste. Il est un rouage impersonnel d'une gigantesque administration.

L'aliénation et la domination de l'individu

Ces conditions de travail conduisent à la déshumanisation des travailleurs. « C'est horrible, [...]. Ça rabaisse l'homme au rang de la machine », dit Colin (p. 216). Certes, pour sauver les hommes du travail, Colin met en avant le progrès technologique. Selon lui, les hommes devraient travailler pour fabriquer des machines qui finalement travailleraient à leur place[1] (p. 124). Mais en attendant cette hypothétique solution technologique, le travailleur est aliéné[2]. Il devient même un animal. Ainsi, la « bête écailleuse » que rencontrent Colin et Chloé lors de leur voyage de noces est en fait un ouvrier que sa tenue de travail transforme en poisson ou en reptile (p. 120). Ayant perdu toute humanité, les travailleurs meurent dans

1. C'est ici l'ingénieur Boris Vian qui parle. Il présente dans la bouche de son personnage l'ébauche d'une pensée qu'on retrouvera dans le *Traité de civisme* qu'il rédige à la fin de sa vie.
2. Dans la théorie de Karl Marx (1818-1883), *l'aliénation* désigne un état dans lequel l'individu, par suite des conditions économiques, cesse de s'appartenir, est traité comme une chose, devient esclave des choses.

l'indifférence générale. Les quatre ouvriers de l'usine de Chick, morts à la suite d'un accident du travail, sont déversés dans « le Collecteur Général » (p. 231). L'homme n'est plus qu'un objet qu'on fait disparaître quand il est usé.

Le travail industriel suscite l'aliénation des individus, mais il offre aussi aux hommes l'occasion d'exercer leur désir tyrannique. Ainsi, dans la première usine que visite Colin, le directeur réprimande le sous-directeur sous prétexte qu'il a cassé une chaise. Le sous-directeur doit payer la colle sur ses appointements. Il se venge alors sur sa secrétaire en retenant sur son salaire la somme que le directeur exige de lui (p. 212). Dans le monde du travail, tout être humain est donc la victime d'un autre. Certes, cette description du travail industriel peut faire penser aux *Temps modernes*[1] de Charlie Chaplin. Mais Chaplin allège sa description par le comique, tandis que Boris Vian laisse la plus grande place à l'angoisse. C'est pourquoi l'aliénation et la tyrannie évoquent davantage *Métropolis* de Fritz Lang[2]. On trouve en effet dans ce film une usine souterraine, peuplée de machines monstrueuses et d'ouvriers soumis à des maîtres et appliqués à un travail abrutissant.

LE RÈGNE DE L'ARGENT

Une société matérialiste

Dans *L'Écume des jours*, les objets envahissent la vie quotidienne : les fleurs et les disques, les bijoux et les livres... Boris Vian anticipe les méfaits d'une société de consommation qui produit des objets désirés et cependant inutiles[3]. L'inutilité des objets produits est évidente dans l'usine d'armement où travaille Colin. La production de fusils est excédentaire et les cartouches, au contraire, ne

---

1. Le film *Les Temps modernes* de Charlie Chaplin (1889-1977) dénonçait en 1936, par le biais du comique, l'aliénation de l'ouvrier dans l'organisation industrielle du travail.
2. Fritz Lang (1890-1976), cinéaste allemand, réalise *Métropolis* en 1926.
3. Les dangers de la société de consommation sont aussi signalés par la prolifération des objets menaçants (Cf. chap. 10, p. 62 : « Un roman à l'intersection de plusieurs genres »).

sont pas produites en assez grand nombre. Quant aux « machines à roues », canons ou chars, elles sont déjà obsolètes avant d'être produites (p. 248-249). La production est incohérente. Les hommes gâchent leur vie pour un travail absurde qui produit des objets inutiles.

Deux personnages sont tout particulièrement pris d'un désir effréné de consommation. Chick, tout d'abord, ne pense qu'à se procurer les livres de Partre et tous les objets lui ayant appartenu. Il se ruine pour les acquérir. Quant à Chloé, à peine rentrée de son voyage de noces, elle ne pense plus qu'à « aller dans les magasins et [s']acheter des robes toutes faites et des choses » (p. 147). A la fin du roman, la vie commune avec Chloé a ruiné Colin. L'image de la femme dépensière qui ruine l'homme par ses achats de robes et de bijoux est un lieu commun de la misogynie que Boris Vian semble accréditer.

Mais les achats ne se limitent pas aux objets. Les êtres humains aussi sont des marchandises. Pour avoir Nicolas à son service, Colin l'a échangé à sa propre tante contre son ancien domestique et un kilo de café belge (p. 26). Ce sont surtout les femmes qui sont réduites à l'état de marchandises. Ainsi, si Colin refoule son amour pour Alise, c'est parce qu'elle appartient à Chick. « Alise [appartient] à Chick de plein droit », se dit-il (p. 45). Il y a dans *L'Écume des jours* un véritable marché des femmes. Déjà au moment de son mariage, Colin pense que la cérémonie lui revient très cher. Chick n'ayant pas d'argent, Colin lui en donne pour acheter Alise, c'est-à-dire pour se marier avec elle (p. 86). Il n'y a pas d'amour sans argent. Le mariage est traité comme un rapport économique.

Perdre sa vie pour la gagner

Cependant, malgré l'inutilité des objets produits et la dureté des conditions de travail, les hommes sont obligés de travailler parce qu'ils doivent gagner leur vie. L'argent constitue en effet une véritable obsession pour les personnages. Ainsi, Colin observe avec angoisse la diminution de la somme qu'il possède. Ses cent mille doublezons (p. 86) ne sont bientôt plus que soixante mille, puis trente-cinq mille (p. 143). A la fin du roman, il ne lui reste presque plus rien pour payer l'enterrement de Chloé. Certes, Colin essaie d'abord d'échapper au travail en vendant son pianocktail (chap. XLV). Mais cela ne suffit pas et, même s'il se plaint, il doit se résigner. Il n'a pas le choix.

Mis devant la nécessité de travailler pour gagner leur vie, les personnages doivent aussi la perdre. Quand Colin va se vendre contre un salaire, il ne vend pas seulement sa force de travail, il vend aussi sa jeunesse. Ainsi, l'employé en blouse blanche qui reçoit Colin dans l'usine d'armement préfigure l'avenir qu'aurait eu Colin s'il avait continué à travailler (p. 243). Cet homme de vingt-neuf ans n'a travaillé qu'un an à l'usine mais ressemble déjà à un vieillard. Travailler, c'est vendre son temps contre de l'argent, donc, au pied de la lettre, perdre du temps, c'est-à-dire vieillir. De la même manière, Colin, pour fabriquer des fusils, doit s'allonger sur eux et les nourrir de son énergie vitale. Il n'est plus qu'un radiateur humain. Cette dernière image exprime clairement l'idée que l'individu est transformé en objet utilitaire. L'aboutissement ultime de cette transformation est la mort. Le lien entre l'argent et la mort apparaît symboliquement avec la « chambre blindée » de la « Réserve d'Or », dans laquelle « l'or mûri[t] lentement dans une atmosphère de gaz mortels » (p. 280). Dans *L'Écume des jours*, l'argent apparaît comme l'une des sources du malheur humain.

LA POLICE ET L'ÉGLISE

La cruauté des institutions

Si le système économique perdure, c'est grâce à des institutions chargées de veiller au maintien de l'ordre publique, à savoir la police et l'Église. La police réprime toute velléité de révolte. Chick, en ne payant pas ses impôts, se conduit comme un anarchiste[1] qui refuse l'emprise de l'État sur les individus (p. 258). C'est pourquoi,

1. *L'anarchie* est une doctrine politique et sociale qui oppose l'épanouissement de l'individu au contrôle de l'État. Seule une société sans État peut assurer le bonheur de l'individu.

garante de l'ordre mais sans aucun respect des droits de l'homme, la police se présente chez lui et le tue avec une rare violence. Elle détruit et piétine aussi ses livres (p. 75). Cette destruction indique que la police sanctionne autant le non-paiement de l'impôt que les idées subversives qui étaient la source d'un tel comportement. Elle réprime le savoir parce qu'il menace l'ordre social.

L'autre institution sur laquelle s'appuie l'ordre social est l'Église. Il peut sembler curieux de considérer l'Église comme une institution répressive. Mais pendant des siècles, la religion catholique a apporté son soutien à l'ordre établi. Boris Vian s'inscrit dans une tradition anticléricale qui nie toute dimension spirituelle de l'Église et concentre sa critique sur ses ambitions temporelles. En l'occurrence, c'est la vénalité, l'appât du gain, de l'Église que dénonce le roman. L'Église est une escroquerie constituée pour gagner de l'argent. Ainsi, pour l'enterrement de Chloé, comme Colin ne dispose plus que de cent cinquante doublezons, le Religieux le méprise ouvertement :

> « C'est regrettable, ce sera une cérémonie véritablement infecte. Vous me dégoûtez, vous lésinez trop ». (p. 289)

La cérémonie est en effet « infecte » : un cercueil qu'on jette par la fenêtre, des porteurs sales, un conducteur qui chante à tue-tête, un cercueil « balancé » dans la fosse (p. 296)... Jésus lui-même, crucifié sur la croix dans l'église, s'anime pour demander à Colin pourquoi il n'a pas donné plus d'argent pour la cérémonie (p. 291-292). Pas plus que le personnel ecclésiastique, le Christ ne se préoccupe du salut de l'âme. Cette Église qui respecte le riche et martyrise le pauvre ne retient rien de la charité chrétienne.

La dénonciation par le ridicule

Pour dénoncer les institutions, l'arme rhétorique principale de Boris Vian est la caricature. Alors que le travail donne lieu à des descriptions tragiques, les institutions sont au contraire traitées sur le mode comique.

Toujours selon une tradition bien établie qui remonte à Rabelais et Voltaire[1], Boris Vian caricature par exemple le penchant coupable des religieux pour les choses du sexe. Ainsi, pour le déshabillage des « enfants de Foi » qui suit la cérémonie, le Chuiche s'occupe plus particulièrement des petites filles (p. 113). Boris Vian fait preuve d'une ironie particulièrement dévastatrice dans la parodie de la liturgie catholique. Lors du mariage de Colin et Chloé (chap. XXI), le défilé des filles d'honneur ressemble à un défilé de majorettes. Les futurs mariés et leurs témoins se déplacent dans des wagonnets comme dans les trains-fantômes des fêtes foraines. La cérémonie à l'église tourne au concert de jazz lorsqu'est joué un air de Duke Ellington. Cette omniprésence du spectacle signale que l'Église est davantage tournée vers les plaisirs terrestres que vers le salut des âmes[2].

La parodie touche aussi, quoiqu'avec moins d'insistance, la police. Ainsi les gendarmes qui viennent arrêter Chick se prénomment tous « Douglas ». Ils sont vêtus d'une « combinaison collante de cuir noir, blindée sur la poitrine et aux épaules » et portent un « casque en acier noirci » ainsi que des « bottes lourdes et métalliques » (p. 261). Cette tenue ressemble à celle des héros de comics américains[3] ou de Fantômas[4]. Par cette uniformité, Boris Vian dénonce dans la plus pure tradition antimilitariste la bêtise de l'institution policière.

Il apparaît donc que si les institutions et le travail industriel ne sauraient être rendus responsables du malheur sentimental des personnages[5], ils ajoutent en revanche de nouvelles souffrances à la condition humaine.

---

1. Sans nier la croyance en Dieu et la dimension spirituelle de l'être humain, Rabelais (1484-1553) et Voltaire (1694-1778) ont tous deux entrepris de dénoncer les défauts de l'institution ecclésiastique.
2. L'un des personnages de *L'Herbe rouge* (1950) affirme : « Le catholicisme et le music-hall, c'est du pareil au même ».
3. Le terme « comics » signifie « bandes-dessinées » en anglais. Le terme désigne tout particulièrement des bandes-dessinées qui firent fureur aux États-Unis à partir des années 1930 et gagnèrent l'Europe après la guerre. Elles mettent en scène des héros qui, comme Superman, sont dotés de pouvoir magique et combattent contre le mal.
4. Fantômas est le héros d'un roman-feuilleton d'inspiration fantastique qui parut en France à partir de 1911.
5. Cf. chap. 6, p. 33 : « L'impossible amour ».

8 La critique de l'existentialisme

LE DANGER DE LA PHILOSOPHIE

Présence parodique de l'existentialisme

L'existentialisme[1] est l'objet d'incessantes allusions parodiques[2] dans *L'Écume des jours*. Le personnage de Jean-Sol Partre, dont le nom est l'anagramme[3] de Jean-Paul Sartre[4], emprunte à Sartre ses habitudes. La conférence de Partre renvoie à celle que Sartre tint le 29 octobre 1945 dans la salle des Centraux, rue Jean-Goujon[5] (chap. XXVIII). « La duchesse de Bovouard » qui assiste à la conférence désigne Simone de Beauvoir[6]. Partre est assis dans un café en train d'écrire (p. 263) comme Sartre

---

1. *L'existentialisme* est une doctrine philosophique d'origine allemande que popularisa Jean-Paul Sartre en France à partir de 1945. Selon cette philosophie, l'existence de l'homme précède son essence, c'est-à-dire que l'homme n'est pas défini a priori mais que ce sont ses actes qui vont le définir. L'existentialisme laisse ainsi à l'homme la liberté et la responsabilité de choisir sa vie et donc de se choisir.
2. *La parodie* désigne une imitation volontaire, soit du fond, soit de la forme, dans une intention moqueuse ou simplement comique.
3. Mot obtenu par transposition des lettres d'un autre mot.
4. Jean-Paul Sartre (1905-1980), philosophe et écrivain, est le chef de file des existentialistes à partir de l'après-guerre.
5. Cette conférence eut à l'époque un grand retentissement et contribua largement à faire de Jean-Paul Sartre un personnage public.
6. Simone de Beauvoir (1908-1986), philosophe et écrivain, était la compagne de Jean-Paul Sartre.

au Café de Flore[1]. Quand Colin dit que Partre « [...] publie au moins cinq articles par semaine » (p. 70), il fait allusion à l'extraordinaire fécondité de Sartre après 1945.

Abondent aussi les variations parodiques sur les titres des livres de Sartre. Chick se procure « Paradoxe sur le Dégueulis » (p. 65), « Choix préalable avant le Haut-le-Cœur » (p. 70), « Le Vomi » (p. 85), « Le Remugle » (p. 104) et « Renvoi de Fleurs » (p. 172). Ces titres renvoient tous, par un jeu de synonymes approximatifs, au roman *La Nausée* paru en 1938. Quant au titre « La Lettre et le Néon » (p. 200), il constitue une variation sur *L'Être et le Néant*, ouvrage philosophique publié par Sartre en 1943.

Enfin, les concepts les plus vulgarisés de l'existentialisme (engagement, choix, liberté, néant) sont l'occasion de plaisanteries. Ainsi Nicolas se rend-t-il à une réunion autour du thème de l'engagement[2]. Ses participants se proposent d'établir « un parallèle [...] entre l'engagement d'après les théories de Jean-Sol Partre, l'engagement ou le rengagement dans les troupes coloniales, et l'engagement ou prise à gage des gens dits de maison par les particuliers » (p. 55). La pensée sartrienne de l'engagement est tournée en dérision par un amalgame entre les différents sens du mot « engagement » tels que les donne un dictionnaire.

Un engouement mortel pour la philosophie

Si ces allusions parodiques à l'existentialisme créent bien sûr une effet comique[3], elles sont aussi le moyen de manifester des désaccords. Boris Vian décrit en l'exagé-

---

1. *Le Café de Flore* est un café de Paris situé dans le quartier de Saint-Germain-des-Prés. Il connut son heure de gloire après la seconde guerre mondiale quand s'y retrouvaient nombre d'écrivains français les plus célèbres.
2. *L'engagement* est un concept clé de la philosophie existentialiste. Il désigne l'obligation faite à l'intellectuel de présenter dans ses écrits un jugement sur la société et donc de combattre pour ce qu'il croit être le bien.
3. Sartre lui-même prit bien la chose et n'hésita pas à faire paraître dans *Les Temps Modernes* (n°13, octobre 1946) des extraits du roman de Boris Vian.

rant le phénomène de mode déclenché par la presse à sensation autour de la personne de Sartre à partir de 1945. C'est surtout le personnage de Chick qui incarne le fanatisme suscité par Partre. D'abord, Chick ne lit aucun autre auteur que Partre (p. 27). Pour lui, c'est bientôt la matérialité des livres qui compte plus que leur contenu. L'important est que « Choix préalable avant le Haut-le-Cœur » de Partre soit imprimé « sur rouleau hygiénique non dentelé » (p. 70). L'écrit perd toute valeur d'usage et n'a plus qu'une valeur d'échange[1]. Seuls importent la préciosité des matières et le prix du livre (valeur d'échange). Il n'est plus question de lecture (valeur d'usage). L'écriture quitte le domaine intellectuel et entre dans le circuit de l'argent. Finalement, Chick achète une pipe et un pantalon ayant appartenu à Partre, ainsi que l'exemplaire d'un de ses livres marqué d'une empreinte de son index gauche (p. 200). Chick n'est plus un lecteur mais un collectionneur fétichiste[2].

Chick éprouve pour Partre une véritable passion. Dès lors qu'Alise cesse de communier avec lui dans son amour pour Partre et prétend vivre une véritable histoire d'amour avec Chick, celui-ci la délaisse. La passion de Chick pour Partre est exclusive. A la déclaration d'Alise à Chick : « Je t'aime mieux que Partre » (p. 84), répond à distance cette pensée de Chick : « Il ne pouvait plus perdre son temps à l'embrasser » (p. 256). Si Alise tue Partre avec un « arrache-cœur », c'est que le philosophe lui a pris le cœur de son amant (p. 266). La mort attend Chick et Alise. La passion fanatique qu'inspire Partre à Chick n'est pas moins mortelle que la passion amoureuse qui unit Colin à Chloé.

---

1. A la suite de Karl Marx (1818-1883), philosophe et économiste allemand, on distingue la *valeur d'usage* d'un objet, qui renvoie à son utilité, et la *valeur d'échange*, qui renvoie à son prix.
2. La psychanalyse désigne par *fétichisme* l'attachement exclusif, non pas à une personne dans sa totalité, mais à une seule particularité de cette personne. Ici, les objets se rapportant à Partre sont devenus des fétiches de sa personne.

L'INUTILITÉ DE L'ENGAGEMENT

Boris Vian contre la littérature engagée

Sartre développe sa doctrine de la littérature engagée dans son essai *Qu'est-ce que la littérature ?* publié en 1948. Selon lui, les mots employés par l'écrivain ont un sens et renvoient à la réalité. Ils l'obligent donc à tenir un discours sur le monde et à s'engager dans le combat politique et social. Dans *L'Écume des jours,* Boris Vian refuse une telle conception de la littérature. Dès son avant-propos, il provoque tous ceux qui dans les années d'après-guerre voulaient engager la littérature aux côtés de la révolution communiste :

> « Il y a seulement deux choses : c'est l'amour [...], et la musique de la Nouvelle-Orléans ou de Duke Ellington ». (p. 17)

Le jazz et l'autre sexe, telles sont ses passions. Pour le reste, Boris Vian ne dispose pas de doctrine et ne propose ni morale ni pensée politique. Il précise dès cet avant-propos que lire *L'Écume des jours* selon une telle optique serait une erreur :

> « Il faut se garder d'en déduire des règles de conduite : elles ne doivent pas avoir besoin d'être formulées pour qu'on les suive ». (p. 17)

Le roman ne donne pas lieu à des développements moraux. C'est pourquoi *L'Écume des jours* ne contient pas de commentaires du narrateur, et peu de commentaires des personnages, tous deux susceptibles de délivrer les éléments d'une morale[1]. Boris Vian poursuit ainsi :

> « [...] l'histoire est entièrement vraie, puisque je l'ai imaginée d'un bout à l'autre ». (p. 17)

1. Cf. chap. 5, p. 26 : « Une narration sous le signe du cinéma ».

L'Écume des jours ne renvoie pas au monde réel et ne peut donc être le lieu d'un engagement. Le roman construit un monde cohérent, mais autonome par rapport au monde réel, et à partir duquel chaque lecteur est libre de se faire sa propre idée des choses.

Le pessimisme de Boris Vian

Ce refus de l'engagement est lié au pessimisme de Boris Vian. Le mal et le malheur sont partout à l'œuvre dans le roman. L'univers du roman est un univers tragique[1]. Boris Vian considère la douleur de l'homme au moins autant dans sa dimension sociale que dans sa dimension métaphysique. Cela l'oppose directement à la position exprimée par la revue dirigée par Sartre, *Les Temps modernes*, selon laquelle une révolution politique et sociale pourrait améliorer la condition humaine. Pour Boris Vian, l'espèce humaine est condamnée à un malheur plus fondamental, qu'une révolution ne changerait en rien. C'est là un premier aspect du pessimisme de Boris Vian.

Un autre aspect de ce pessimisme est lié à la nature humaine. En effet, si les hommes acceptent le travail industriel, ce n'est pas seulement par besoin d'argent[2]. Colin explique que les hommes sont « bêtes » (p. 124). Ils travaillent parce qu'on leur a dit qu'il était bien de le faire, que le travail était la valeur suprême de la vie. Une explication d'ordre psychologique serait donc à l'origine de l'aliénation des hommes. Les hommes ne sont pas tant aliénés par la nécessité économique que par leur faiblesse d'esprit. Ces propos du personnage font écho à ceux de l'avant-propos assumés par l'auteur :

> « Il apparaît [...] que les masses ont tort et les individus toujours raison ». (p. 17)

---

1. Cf. chap. 10, p. 62 : « Un roman à l'intersection de plusieurs genres ».
2. Cf. chap. 7, p. 40 : « Une société aliénante ».

Ainsi, la plupart des hommes sont bêtes et l'intelligence est réservée à quelques uns. C'est un point de vue plus radicalement pessimiste que celui de Sartre, qui met en cause la mauvaise foi des hommes[1]. Contrairement à la mauvaise foi, la bêtise telle que l'envisage Boris Vian est en effet définitive. Il y a d'un côté la masse des imbéciles, et de l'autre une élite d'individus peu nombreux qui, comme Colin, échappent à la bêtise.

Ni la tragédie de la condition humaine, ni la bêtise des hommes ne peuvent mener à l'engagement. Se rapprochant de la gauche par ses positions contre la police, l'Église et la dureté du travail industriel, Boris Vian n'a cependant pas suffisamment confiance dans ses semblables pour croire à la solution de l'engagement. Se refusant à être un écrivain engagé, il est un témoin grinçant du malheur de l'homme.

DÉFENSE DE L'INDIVIDUALISME

Critique de Partre et de l'activité intellectuelle

C'est en premier lieu parce que l'engagement est inutile que l'activité intellectuelle perd tout prestige. Ainsi, Nicolas affirme que sa nièce Alise a mal tourné parce qu'elle a fait des études de philosophie (p. 27-28). Alise elle-même reproche à son père d'être agrégé de mathématiques, professeur au Collège de France et membre de l'Institut[2]. « Heureusement, il y a oncle Nicolas », dit-elle

---

1. Jean-Paul Sartre décrit la mauvaise foi dans *L'Être et le néant* (première partie, chap.II). L'homme de mauvaise foi est celui qui se ment à lui-même pour ne pas avoir à assumer sa liberté et son engagement. Mais si l'homme cesse de se mentir, il peut accéder à la liberté.

2. Le Collège de France est un prestigieux établissement d'enseignement fondé à Paris en 1529 par François Ier. L'Institut de France rassemble les cinq Académies, dont la fameuse Académie française fondée en 1635 par Richelieu, et l'Académie des sciences fondée en 1666 par Colbert. Puisqu'il est mathématicien, c'est sans doute à cette dernière Académie qu'appartient le père d'Alise.

(p. 40). Sur le mode du renversement carnavalesque[1], la fierté de la famille n'est pas le grand professeur, mais l'employé de maison cuisinier.

Ensuite, l'activité intellectuelle est dépréciée parce qu'elle ne permet pas de développer les qualités humaines. Ainsi, le personnage de Jean-Sol Partre est très peu sympathique. Lors de la conférence qu'il donne, la foule est maltraitée par les forces de l'ordre, mais lui se contente de « rire de bon cœur en se tapant sur les cuisses » (p. 139). Il n'y a pas chez lui l'ombre d'un sentiment de compassion. Partre fait preuve de la même indifférence quand Alise vient lui demander d'interrompre la publication de ses œuvres afin que Chick cesse de se ruiner à les acheter (chap. LVI). Partre refuse. Il apparaît comme un maître à penser indifférent aux conséquences de la fascination qu'il exerce. Si Alise tue Partre avec un « arrache-cœur », c'est parce que le philosophe lui a volé le cœur de Chick. Mais par ce geste, elle dénonce aussi ce qui chez le maître à penser de son amoureux n'existe pas : le cœur, c'est-à-dire le sentiment.

Une sagesse épicurienne

Les personnages les plus sympathiques du roman ne sont pas des intellectuels, et encore moins des intellectuels engagés. Les hommes de bien n'occupent pas le champ politique, comme chez Jean-Paul Sartre, mais se replient sur la sphère plus réduite de la vie privée. A travers le personnage de Colin, le roman fait l'éloge de l'amitié, l'amour et la générosité avec les proches, clairement exprimés dans cette phrase de Colin :

> « [...] ce qui m'intéresse, ce n'est pas le bonheur de tous les hommes, c'est celui de chacun ». (p. 87)

---

1. La fête médiévale du carnaval était l'occasion d'un renversement complet des hiérarchies sociales habituellement admises. Pendant quelques jours, les humbles prenaient dans la rue la place des puissants.

S'il ne saurait être question de révolution, l'individualisme[1] ne signifie donc pas l'égoïsme. Boris Vian prône un individualisme généreux qui entretient le culte de l'amitié.

Ces valeurs de l'intimité sont, dans le roman, le seul obstacle au pessimisme. En effet, la notion de salut y est absente, mais cette absence est compensée par le plaisir immédiat que les personnages prennent à vivre ensemble. Ce plaisir conditionne la présence dans le roman d'un certain nombre de thèmes comme la cuisine, la musique ou la fête[2]. Boris Vian exprime ainsi une sagesse épicurienne[3] dans *L'Écume des jours*. Cette sagesse se manifeste aussi dans le style du roman. Grâce à ce style, Boris Vian conduit ses personnages vers la mort tout en amusant son lecteur. Il masque la tragédie de leur destin par le recours au comique. Rire de tout de crainte d'avoir à en pleurer semble être la leçon de sagesse de l'œuvre.

A l'époque de sa parution, en 1947, le retrait sur la sphère privée que décrit *L'Écume des jours* s'inscrit à contre-courant de l'engagement sartrien. C'est pourquoi cette œuvre tombe dans une obscurité totale[4]. Le roman rencontre au contraire aujourd'hui un engouement inégalé. Pour les enfants de la crise, les espérances collectives ont disparu. Sur fond d'une certaine désillusion, Boris Vian trouve aujourd'hui des lecteurs sans doute plus fidèles que jamais au désespoir enjoué qui présida à l'écriture de son œuvre.

---

1. On désigne par *individualisme* une pensée qui fait de l'individu la valeur suprême de l'homme au détriment de sa dimension collective.
2. Cf. chap. 9, p. 55 : « Le culte de l'inventivité et du jazz ».
3. On désigne par *épicurisme* une philosophie antique qui met l'accent sur la nécessité de jouir de la vie dans l'attente de la mort.
4. De sa date de parution (1947) à 1962, à peine plus de 3000 exemplaires de *L'Écume des jours* sont vendus. C'est seulement à partir de 1963 que la collection 10/18 lui fait connaître une diffusion remarquable.

9 Le culte de l'inventivité et du jazz

ÉLOGE DE L'INVENTIVITÉ

De la mondanité à l'inventivité

Colin, Chloé, Isis et Alise semblent être des rentiers qui n'ont pas besoin de travailler. Pour ces oisifs, au moins au début du récit, la vie est une fête mondaine. Ainsi, lors de la fête chez Isis, on mange des petits fours (p. 67), on boit un cocktail au champagne, on danse le boogie-woogie (p. 68). C'est le règne du plaisir des sens. On voit donc que si Boris Vian ne cède pas à l'utopie révolutionnaire, il présente tout de même, avec cette mondanité bienheureuse, une forme d'utopie. Cet art de vivre raffiné demeure en effet réservé à une élite de jeunes gens fortunés.

La mondanité, si elle est source de bonheur, est en revanche clairement marquée par le conformisme. Lors de la fête chez Isis, les jeunes gens se tiennent tous de la même façon, les mains derrière le dos (p. 63). Isis et Chloé portent la même robe (p. 64). La mondanité est une culture du paraître sans invention. Or inventer est, dans *L'Écume des jours*, la seule activité qui autorise un épanouissement personnel. Ainsi Colin est l'inventeur du pianocktail[1] (p. 28-29). Ce piano fait correspondre un alcool, une liqueur ou un aromate à chaque note de musique (p. 29).

1. Le mot « pianocktail » est un *mot-valise*, c'est-à-dire qu'il est formé par la réunion de deux mots qui restent reconnaissables, ici « piano » et « cocktail ».

La synesthésie[1] offre le comble du raffinement. C'est donc avec une fierté légitime que Colin montre son invention à Chick (p. 29).

La cuisine de Nicolas

Cette inventivité trouve sa pleine réalisation dans le personnage de Nicolas. Certes, Nicolas est employé de maison, mais son travail, à l'inverse du travail industriel, est un travail créatif. Nicolas est un artiste. Les mets raffinés qu'il prépare suffisent à le prouver : andouillon des îles au porto musqué (p. 48), bol de punch aux aromates avec croûtons beurrés d'anchois (p. 56)... Nicolas s'inspire des recettes de Gouffé[2], mais il leur ajoute des éléments qui témoignent de son inventivité (p. 23, p. 28). Faisant la cuisine pour son maître, il est ainsi le seul personnage qui joigne travail rémunéré et inventivité.

Il est de surcroît le seul, avec Colin, à tirer profit d'un progrès technologique réservé pour le reste à un usage industriel dégradant pour l'homme. Le pianocktail de Colin fonctionne grâce à un système électrique (p. 29). Le « pupitre », les « cadrans » avec « aiguille » et autre « palpeur sensitif » du four de Nicolas situent sa cuisine dans un univers technologique futuriste (p. 22-23). Quand le four devient une simple marmite (p. 221), Nicolas n'offre plus à Colin et à Chick qu'une soupe au bouillon Kub et des saucisses trop grillées (p. 203-206). Sans technologie, la cuisine perd toute saveur. Pomiane[3] remplace Gouffé. Manger devient une fonction physiologique qui ne procure plus de plaisir.

Le prestige du cuisinier Nicolas est si grand qu'il devient même le contre-modèle de Partre. La création sartrienne est intellectuelle et universelle, mais dans *L'Écume des jours* elle n'est d'aucun secours pour son public.

---

1. Le terme de synesthésie désigne la mise en correspondance de sensations apportées par des sens différents, ici l'ouïe (la musique du piano) et le goût (les cocktails).
2. Jules Gouffé est l'auteur d'un livre de cuisine publié en 1867.
3. Pomiane (1875-1964) était un gastronome et médecin français, spécialiste des problèmes digestifs.

Inversement, l'inventivité culinaire de Nicolas, plus modeste procure des joies réelles. « Supérieur ! », s'exclame Chick en mangeant (p. 33). Nicolas nourrit ceux qu'il aime. Certes, son attention ne suffit pas à sauver les personnages qui lui sont proches. Mais cuisiner est une manière de faire le bien qui implique une vraie générosité.

L'AMOUR DU JAZZ

L'omniprésence du jazz

Cet éloge de l'inventivité culmine dans l'amour du jazz. Dans l'avant-propos, l'auteur indique que seuls comptent pour lui l'amour des jolies filles et « la musique de la Nouvelle-Orléans ou de Duke Ellington »[1] (p. 17). La Nouvelle-Orléans est en effet la ville natale de Louis Armstrong[2] et Sidney Bechet[3]. Les lieux dans lesquels Boris Vian prétend avoir rédigé l'ensemble de l'ouvrage, Memphis et Davenport (p. 301), sont également des grandes villes du jazz. Mais en réalité, Boris Vian n'est jamais allé aux États-Unis. Les dates entre lesquelles il prétend avoir écrit son roman, 8-10 mars 1946, révèlent le canular. Comme les dates trop rapprochées, les lieux trop éloignés sont fictifs.

Le jazz est omniprésent dans *L'Écume des jours*. Nombreux sont les musiciens et les compositions qui sont cités dans le roman : Duke Ellington et Johnny Hodges[4] (p. 49), *Black and Tan Fantaisy* (p. 29) et *The Mood to Be Wooed*[5] (p. 157)... Les vrais thèmes de jazz, tout particulièrement ellingtonniens, voisinent avec les thèmes inventés par l'auteur. Les termes techniques concernant le jazz

---

1. Duke Ellington (1899-1974) était pianiste, compositeur, arrangeur et chef d'un des meilleurs orchestres américains de jazz.
2. Louis Armstrong (1900-1971) était chanteur, chef d'orchestre et improvisateur de génie à la trompette.
3. Sidney Bechet (1897-1959) était clarinettiste et saxophoniste. Il s'installa et connut le triomphe en France à partir de 1949.
4. Johnny Hodges (1906-1970) était saxophoniste. Il joua dans l'orchestre de Duke Ellington.
5. *Black and Tan Fantaisy* (1927) et *The Mood to be Wooed* (1944) sont des compositions de Duke Ellington (1927).

abondent aussi. Ici on parlera du « hot »[1] (p. 30), là de « chorus »[2] (p. 218). Même le décor romanesque est placé sous le signe du jazz. Colin habite avenue Louis Armstrong (p. 24). Chick pénètre dans une librairie dont l'enseigne est peinte à l'imitation du Mahogany Hall de Lulu White[3] (p. 198).

La présence du jazz se décèle, non seulement dans l'énoncé, mais aussi dans l'énonciation du roman. Ainsi, la prédilection pour le phonème [Z] s'explique peut-être par sa présence dans le mot « jazz ». Ce goût phonétique apparaît particulièrement dans les divers vocables inventés par Boris Vian, qu'on pense aux « doublezons » (p. 86) ou au verbe « zonzonner »[4] (p. 127). Un critique[5] a même émis l'hypothèse d'un arrangement de la prose poétique scandée par un rythme de sept syllabes. On observe cela au chapitre XVI : « Chloé, vos lèvres sont douces // Vous avez un teint de fruit // Vos yeux voient comme il faut voir / et votre corps me fait chaud [...] ». Ces heptasyllabes créent un décalage, dans la mesure où l'on attend plutôt la présence d'octosyllabes[6]. Le rythme est syncopé, décalé, à la manière du swing du jazz. Comme le musicien de jazz qui improvise à partir de compositions répertoriées, les standards, Boris Vian crée des mots à partir d'un état de langue donné[7]. *L'Écume des jours* défend l'inventivité du jazz, et donne une illustration de cette inventivité dans son style.

---

1. Le terme « hot » désigne un style de jazz rythmé et fondé sur l'improvisation.
2. Le terme « chorus » désigne un thème de jazz, c'est-à-dire un ensemble de mesures fixes sur lesquelles chaque musicien est libre d'improviser des variations.
3. Le Mahagony Hall était un établissement de plaisir de la Nouvelle-Orléans, célèbre pour ses pianistes et son orchestre de jazz au début du XXe siècle. Lulu White était l'une de ses plus célèbres pensionnaires.
4. Le terme « doublezon » désigne la monnaie dont font usage les personnages dans le roman. Le verbe « zonzonner » désigne, dans le roman, le bruit que font les insectes en volant.
5. Gilbert Pestureau, *Boris Vian, les Amerlauds et les Godons*, p. 415-417 (cf. Bibliographie en fin de volume).
6. Un *heptasyllabe* est un vers de sept syllabes. Un *octosyllabe* est un vers de huit syllabes. C'est le vers le plus employé dans la poésie française après l'alexandrin (vers de 12 syllabes).
7. Cf. chap. 11, p. 70 : « L'écriture de Boris Vian ».

Chloé et *Chloé*

Comme l'indique l'avant-propos, le jazz et l'amour sont inséparables l'un de l'autre. Colin aime la musique de jazz, et particulièrement le morceau de Duke Ellington intitulé *Chloé*. Colin aime une femme qui s'appelle Chloé. L'amour de la femme et l'amour du jazz se confondent dans le même nom au point que, lorsqu'il rencontre Chloé pour la première fois, Colin lui demande si elle est arrangée par Duke Ellington (p. 65). Le narrateur revient sept fois sur le fait que l'héroïne est née d'un « vieil air arrangé par Duke Ellington » (p. 49, 65, 69, 74, 112, 161 et 217). Cet air caractérise le couple central, lui parce qu'il l'aime, elle parce qu'elle en est l'incarnation.

Le rapport entre le personnage Chloé et le morceau *Chloé* est encore plus étroit si l'on considère que le sous-titre du thème de Duke Ellington est *Song of the swamp (La chanson du marais)*. En effet, Chloé meurt d'un nénuphar dans la poitrine. Or, le nénuphar est une fleur des marais. De surcroît, alors que Chloé est de plus en plus malade, le sol de l'appartement se transforme en marécage (p. 238). Enfin, l'enterrement de Chloé a lieu dans une île humide (chap. LXVI). Avec le thème *Chloé*, la musique devient donc une métaphore[1] de la maladie de Chloé et de la dégradation de l'espace romanesque[2].

UN UNIVERS SONORE

Fonction métonymique et magique des sons

C'est surtout la fonction métonymique des sons[3] qu'on retrouve, plus largement, dans l'ensemble de l'univers du

---

1. La métaphore est une association qui fait correspondre symboliquement deux éléments qui dans la réalité n'ont rien à voir l'un avec l'autre. Dans le cas présent, une musique (Chloé) est associée à un personnage (Chloé) et à une partie du décor romanesque (le marécage) qui, dans la réalité, n'ont aucun rapport avec elle.
2. Cf. chap. 4, p. 20 : « L'espace et le temps ».
3. La *métonymie* est une association par contiguïté qui fait correspondre, contrairement à la comparaison, deux éléments appartenant au même univers de référence. Ainsi, l'atmosphère d'un lieu sera exprimée par la musique qui y est jouée.

roman. En effet, les lieux se caractérisent, certes par des formes et des couleurs, mais aussi par des sons, comme les personnages par leur voix. Quand elle s'adresse à Colin, Chloé a évidemment une « douce voix » (p. 222). Au contraire, le directeur auprès duquel Colin vient chercher du travail marmonne, crie et hurle (p. 211-214). Les personnages parlent d'autant plus doucement qu'ils ont bon cœur. La voix est un moyen de leur identification.

En ce qui concerne les lieux, plus la scène décrite est heureuse, plus la musique est harmonieuse. Lors de la fête chez Isis, les jeunes gens écoutent du boogie-woogie et l'inévitable *Chloé* arrangé par Duke Ellington (p. 69). Au contraire, plus la scène décrit la douleur, plus le bruit est désagréable. Ainsi, dans l'usine où Chick travaille, règne le « sourd vrombissement des turboalternateurs généraux » et le « chuintement des ponts roulants » (p. 228). Il y a, dans *L'Écume des jours*, une échelle de valeurs des sons au sommet de laquelle se trouve le jazz, toujours associé à des moments de bonheur.

Quand il s'agit du jazz de Duke Ellington, la fonction simplement métonymique cède le pas à une fonction magique. La musique acquiert un pouvoir de transformation sur les êtres et les choses. Ainsi, il suffit que Colin mette un disque de Duke Ellington, *The Mood to Be Wooed*, pour que les angles de sa chambre s'arrondissent et finissent par se transformer en sphère (chap. XXXIII). Le jazz modèle l'espace architectural du décor. Il modèle aussi l'espace mental des deux personnages qui brusquement se montrent tendres l'un avec l'autre. Lié au bonheur de l'amour et de l'amitié, le jazz protège les personnages par sa rondeur maternelle.

La disparition du jazz

Le jazz rythme le récit, souligne ses temps forts et ses rebondissements. A la présence du jazz et au bonheur du début de l'histoire, correspondent l'absence du jazz et le malheur à la fin de l'histoire. Au début du roman, le jazz est évoqué comme musique d'ambiance dans de nombreuses scènes. La noce de Colin et Chloé tourne au concert de jazz quand le personnel religieux se met à exécuter un chorus (p. 108). En 1947, quand Boris Vian publie son roman, le jazz est un phénomène nouveau en France. Il est un moyen d'identification sociale pour les jeunes générations de cette époque.

La correspondance du jazz et du bonheur trouve sa suite logique dans la disparition de la musique dans la seconde partie de l'histoire. Seuls des bruits demeurent. A partir du moment où Chloé est malade, le jazz ne fait qu'une seule apparition entre les deux époux, à un moment où, après les premières atteintes de la maladie, se profile l'espoir d'une rémission (p. 157). Puis le bonheur s'éloigne définitivement, et la musique qui y était attachée s'efface elle aussi. Musique de la joie de vivre, le jazz n'a plus de raison d'être quand le roman devient tragédie.

10 Un roman à l'intersection de plusieurs genres

UN ROMAN MERVEILLEUX ET FANTASTIQUE

Un roman merveilleux

On a souligné que le cadre spatio-temporel de *L'Écume des jours* présente un caractère réaliste[1]. Mais l'univers du roman participe aussi du merveilleux. En littérature, le merveilleux se caractérise par des propriétés magiques qui échappent au monde réel sans pour autant surprendre les personnages. Il en va bien ainsi dans *L'Écume des jours* dont l'univers est régi par des lois non réalistes mais cohérentes, qui brutalisent notre conception de la logique mais qui n'étonnent pas les personnages.

Outre le processus de dégradation qui touche l'appartement de Colin et la ville[2], l'élément merveilleux le plus apparent de *L'Écume des jours* est constitué par les souris qui habitent l'appartement de Colin. Ces souris sont des êtres doués de raison. Certes, elles ne parlent pas avec les humains. Mais, d'une part, elles peuvent parler avec les autres animaux. Ainsi, la souris grise à moustaches noires s'entretient avec le chat à la fin du roman (chap. LXVIII). D'autre part, elles comprennent le langage

1. Cf. chap. 4, p. 20 : « L'espace et le temps ».
2. Cf. chap. 4, p. 20 : « L'espace et le temps ».

des hommes et leur répondent par des gestes (p. 57-58). Les souris sont aussi capables de sentiments. Au début du roman, quand Colin est heureux, elles manifestent leur joie en dansant dans la cuisine (p. 22). Plus tard, à la mort de Chloé, la souris grise choisit de mourir elle aussi (p. 300). L'humanisation des souris fait référence aux personnages de Mickey et Minnie, les souris du dessin animé créé par Walt Disney dans les années 1930.

Le merveilleux rapproche donc l'animal de l'humain. Plus largement encore, il permet la conciliation des contraires qui s'opposent dans la nature. Cela apparaît dans la description du voyage de noces de Colin et Chloé. Le long de la route se déploie un paysage imaginaire dans lequel sont associés tous les climats et toutes les saisons (chap. XXVI). Les feuilles mortes et la neige renvoient à l'automne et à l'hiver, les fleurs au printemps et les pommes à l'été. Les palmiers connotent un climat tropical tandis que les pins évoquent les pays du Nord.

> « D'un côté de la route, il y avait du vent, et de l'autre pas. On choisissait celui qui vous plaisait ». (p. 126)

Les jeunes mariés semblent heureux. Le monde magique réalise le désir des personnages et assure leur bien-être. Mais la présence de la neige, fatale à Chloé, indique que le merveilleux ne suffit pas à lui seul pour caractériser *L'Écume des jours*.

L'intrusion du fantastique dans le monde merveilleux

En littérature, on distingue le fantastique et le merveilleux. Tandis que le merveilleux s'ajoute au monde réel sans lui porter atteinte ni en détruire la cohérence, le fantastique consiste au contraire en une intrusion inquiétante. Il apparaît à chaque fois qu'un bouleversement affecte le monde réel et laisse les personnages dans l'incompréhension et le malheur.

D'un côté, on est porté à parler du merveilleux dans *L'Écume des jours* dans la mesure où, comme on l'a dit, les personnages ne s'étonnent pas des lois étranges qui régissent l'univers romanesque. Mais d'un autre côté, divers éléments font basculer le roman vers le fantastique.

Premièrement, les descriptions réalistes déjà étudiées créent un fort contraste entre monde féerique et monde réel. Or, ce contraste est caractéristique de l'intrusion qu'instaure le fantastique. Deuxièmement, si les personnages ne s'étonnent pas des règles qui régissent leur univers, l'inquiétude envahit en revanche le lecteur. Troisièmement, enfin, tandis que le récit merveilleux offre une fin heureuse, le récit fantastique débouche sur une issue fatale. Or, c'est bien le cas dans *L'Écume des jours*. Pour conclure, le roman commence dans un univers merveilleux puis glisse vers le fantastique.

Dans *L'Écume des jours*, ce merveilleux qui devient inquiétant est tout d'abord perceptible dans l'agressivité dont témoignent les différents règnes, minéral, végétal et animal, de la nature[1]. Ainsi, dans l'usine d'armement où travaille Colin, des roses en acier croissent au bout des fusils. Quand il tente de briser la tige de l'une d'entre elles, Colin se blesse la main avec l'un de ses pétales (p. 249). Normalement immobiles et sans vie, les objets s'animent avec la même fantaisie que dans le dessin animé : ils bougent, se modifient, s'échappent... Mais cette fantaisie suscite l'inquiétude. Se comportant comme des êtres vivants, les objets sont souvent agressifs. Ainsi, la cravate de Colin se débat quand Chick cherche à la lui passer autour du cou. Elle écrase même l'index de Chick et il faut l'aide d'un « fixateur » à la résine pour qu'elle s'immobilise enfin (p. 101-103).

LE ROMAN D'UN AMOUR MALHEUREUX

Un conte qui finit mal

Le thème central de l'amour, joint aux éléments merveilleux et fantastiques, peuvent conduire à lire *L'Écume des jours* comme un conte. Toutes les étapes du senti-

1. L'imagerie du roman fait penser aux tableaux figuratifs de certains peintres surréalistes comme Max Ernst (1891-1976), André Masson (1896-1987) ou Hans Bellmer (1902-1975).

ment amoureux sont en effet décrites[1], mais contrairement au roman d'amour traditionnel, *L'Écume des jours* n'est pas un roman psychologique. Il n'y a ni introspection des personnages, ni analyse du narrateur. Comme dans le conte, les personnages du roman ont peu d'épaisseur. Ce sont des personnages schématiques dont les sentiments et les aspirations ne varient pas.

Mais *L'Écume des jours* finit mal, ce qui le différencie du conte traditionnel. En effet, le conte se termine toujours par l'événement heureux que constitue le mariage du héros et de l'héroïne. La formule qui clôt le conte, « Ils vécurent heureux et eurent beaucoup d'enfants », annonce leur bonheur futur. Au contraire, le conte tourne mal dans *L'Écume des jours*. En effet, dès le tiers du roman, le mariage qui achève habituellement le conte est consommé. Le « petit nuage rose » qui entoure Colin et Chloé se dissipe alors (p. 76). D'abord conte enchanteur où les êtres, les souris et les objets sont animés des meilleures intentions, l'univers romanesque se dégrade par la suite quand il se risque à présenter ce qui suit la fin habituelle du conte. Les personnages basculent irrémédiablement dans un univers maléfique. Le roman révèle que le bonheur supposé des amoureux à la fin du conte n'est qu'une utopie.

Au-delà du roman d'amour courtois

On songe alors aux romans d'amour courtois du Moyen-Âge. Le thème central de ces romans est l'affrontement entre deux conceptions de la vie : d'un côté l'amour passion, de l'autre le conformisme social qui réprouve cet amour. Un chevalier aime l'épouse du roi. La réprobation est double : cet amour est adultère, et de surcroît l'homme est d'un rang social moins élevé que sa maîtresse. L'amour courtois est socialement inadmissible. Si,

---

1. Cf. chap. 6, p. 33 : « L'impossible amour ».

comme Iseut et Tristan[1], les amants ne renoncent pas à leur amour, ils meurent. Dans les romans courtois, l'amour est toujours fatal quand il est consommé.

L'Écume des jours semble un conte de fées qui aurait fait sienne la conception courtoise d'un amour nécessairement malheureux sitôt qu'il est consommé. Encore faut-il nuancer. Car dans l'univers courtois, c'est la société qui fait obstacle au bonheur des amants. Or, dans *L'Écume des jours*, comme on l'a vu[2], l'obstacle n'est pas extérieur mais intérieur aux personnages. Le roman de Boris Vian démythifie donc la passion amoureuse. La passion, même sans les entraves sociales, conduit à la mort des amants. Telle est la leçon de ce roman désenchanté, de ce conte de fées qui finit mal.

UNE TRAGÉDIE DE LA CONDITION HUMAINE

Une histoire tragique

Boris Vian a dit lui-même dans une conversation privée, quelques semaines avant sa mort : « Je voulais écrire un roman dont le sujet puisse tenir en une seule ligne : Un homme aime une femme, elle tombe malade, elle meurt »[3]. Cette linéarité implacable du récit est proprement tragique. Le roman se découpe très exactement en deux parties. Dans la première partie (chap. I-XX), Colin est célibataire et heureux ; dans la seconde (chap. XXIII-LXVIII), il est marié et malheureux. Tout bascule autour de l'épisode du mariage (chap. XXI-XXII). Le roman du

---

1. Tristan et Iseut sont deux célèbres personnages que mettent en scène de nombreux romans d'amour courtois au Moyen-Âge. Ils incarnent l'amour passionné et impossible entre une épouse qui doit rester fidèle au roi (Iseut) et un chevalier qui doit lui aussi servir le roi (Tristan). Ne pouvant renoncer à leur amour, les deux amants finissent par trouver la mort.
2. Cf. chap. 6, p. 33 : « L'impossible amour ».
3. Cette phrase est citée dans *Boris Vian* de Jacques Bens, p. 30 (cf. Bibliographie en fin de volume).

bonheur devient alors roman de la tragédie. A partir du moment où Chloé est malade, tout ce qu'entreprend Colin pour la sauver ne fait que retarder l'échéance de sa mort sans parvenir à l'éviter. De la même manière, Alise ne peut rien pour sauver Chick. La situation se referme comme un piège sur les personnages et les conduit inéluctablement vers la mort.

On a dit déjà que cette fatalité était causée par les contradictions du désir humain[1]. Mais le sentiment tragique est encore accru par la présence d'un Dieu impuissant et indifférent. Dans *L'Écume des jours*, la révolte contre le catholicisme n'est pas seulement sociale[2], elle est aussi métaphysique.

Le Christ est impuissant à éviter le malheur des hommes. Lors de l'enterrement de Chloé, Colin demande à Jésus pourquoi sa femme est morte. « Je n'ai aucune responsabilité là-dedans [...] répond-t-il (p. 291). De surcroît, il reste indifférent à la souffrance des hommes. Quand Colin l'interroge, le Christ ne cesse de bâiller. Plus tard, il émet un « ronronnement de satisfaction, comme un chat repu » (p. 292). On ne voit, dans ce Christ, nulle trace d'amour ni de charité. Il apparaît même comme un escroc que seul intéresse le gain que rapportent à l'Église les cérémonies religieuses (p. 291). C'est parce que le monde est abandonné par Dieu que les personnages souffrent. La mention de Jules l'Apostolique à la dernière page du roman va dans le même sens d'un abandon de toute perspective religieuse. Le nom est en effet formé à partir de Julien l'Apostat, empereur romain (361-363) qui abandonna la religion chrétienne, et de l'adjectif « apostolique »[3]. Ce nom indique ironiquement que la nouvelle révélation des apôtres, c'est le reniement de la foi chrétienne. Dieu n'existe peut-être pas. Cette incertitude quant à l'existence de Dieu rend délicate l'interprétation de la tragédie du roman.

---

1. Cf. chap. 6, p. 33 : « L'impossible amour ».
2. Cf. chap. 7, p. 40 : « Une société aliénante ».
3. « Apostat » est un nom dérivé du verbe « apostasier », qui signifie abandonner la foi et la vie chrétiennes ; « apostolique » est un adjectif qui signifie : venant des apôtres.

Une parabole énigmatique

On définit la parabole comme un récit livrant une vérité générale sur la condition humaine. La vérité n'est pas énoncée directement, elle est mise en scène à travers des personnages. Le lecteur doit interpréter le récit pour en découvrir le sens.

Le dernier chapitre du roman constitue une parabole. Ne pouvant supporter la mort de Chloé et le malheur de Colin, la souris grise qui habitait l'appartement du couple supplie le chat de la manger. Génie protecteur impuissant à arrêter la progression du malheur, elle se met dans la gueule du chat qui laisse traîner sa queue. L'une des « onze petites filles aveugles de l'orphelinat de Jules l'Apostolique » (p. 301) finira sans nul doute par marcher sur sa queue. Il refermera alors ses mâchoires sur la souris. C'est encore la religion qui est visée. D'une part, les petites filles aveugles dont le passage sans précaution sera indirectement responsable de la mort de la souris, sont prises en charge par un établissement religieux. D'autre part, le chat rassasié fait penser au Christ ronronnant « comme un chat repus » (p. 292). Le destin de la souris entre les dents du chat est une parabole du destin des personnages du roman, victimes d'un Dieu indifférent.

Cette parabole finale constitue une mise en abîme de l'ensemble du roman. La mise en abîme est un passage entretenant une relation de similitude avec le récit qui le contient[1]. Elle est un modèle réduit qui permet d'expliquer le sens de l'ensemble du récit. La signification parabolique du dernier chapitre donne donc un éclairage sur tout le roman. Dans le cadre d'une lecture religieuse, la parabole signifie que les personnages subissent la malédiction que Dieu jette sur Adam et Ève[2]. Colin et Chloé sont chassés de l'Éden. Au début du roman, Colin vit hors de la société, dans un univers où l'abondance lui est magiquement donnée. Sa maison est une sorte de paradis. Le récit voit la chute de Colin. Comme Adam, il doit se mettre à travailler

1. Lucien Dallenbach, *Le Récit spéculaire*, p. 18, Le Seuil, 1977.
2. *La Bible, Genèse*, III, 16-19.

à la sueur de son front. Quant à Chloé, dont le corps est habité par un nénuphar, elle doit endurer, comme Ève, la souffrance physique à laquelle Dieu la condamne quand elle devra enfanter. Comme dans la Bible, c'est parce que Colin et Chloé éprouvent du désir l'un pour l'autre qu'ils sont condamnés[1].

Mais cette lecture strictement biblique est une réduction de la richesse du roman. *L'Écume des jours* témoigne en fait d'une interrogation de Boris Vian sur la condition humaine. Le lecteur ne sait pas à quoi s'en tenir quant au malheur qui frappe les hommes. « Pourquoi l'avez-vous fait mourir? » demande Colin à Jésus après la mort de Chloé. « Elle était si douce, dit Colin. Jamais elle n'a fait le mal, ni en pensée, ni en action » (p. 292). Le malheur est-il causé par le désir humain ou par une fatalité métaphysique ? Le roman ne répond pas. Les hommes vivent dans le malheur sans qu'on puisse savoir quelle est sa cause précise.

Le mot « écume » qui apparaît dans le titre du roman désigne tout à la fois la fragilité de l'existence humaine et l'impossibilité d'en pénétrer le sens. D'un côté, le bonheur initial des personnages n'est qu'une apparence, comme l'écume qui flotte sur la mer. D'un autre côté, le roman ne saisit que l'écume du malheur, c'est-à-dire sa manifestation en surface. Il ne parvient pas à en pénétrer le sens. L'interprétation de la parabole reste donc ouverte. Le roman laisse place au doute métaphysique.

---

1. On peut encore préciser ce parallélisme. Dans la Bible, c'est Ève qui insiste pour qu'Adam croque le fruit de l'arbre de la connaissance, c'est-à-dire du désir. De la même manière, dans *L'Écume des jours*, c'est le désir de Chloé qui, un mois après le mariage, contraint Colin à faire l'amour (Cf. chap. 6, p. 33 : « L'impossible amour »).

11 L'écriture de Boris Vian

DU LANGAGE PARLÉ A LA PRÉCIOSITÉ

Le langage parlé des dialogues

Au niveau du contenu, les dialogues de *L'Écume des jours* sont marqués par la familiarité. On notera tout particulièrement la présence des allusions érotiques. Ainsi, Nicolas ne se gêne pas pour dire que sa cousine Alise lui ressemble quoiqu'elle soit « plus développée dans le sens perpendiculaire » (p. 27). En 1946, ces allusions érotiques étaient une provocation qui rattachait clairement le roman de Boris Vian au genre réaliste du roman policier venu des États-Unis.

Marqués par la familiarité dans leur contenu, les dialogues sont caractérisés, dans leur expression, par une abondance des marques du discours oral. Les répliques sont simples et rapides comme dans le langage familier. On remarque surtout le langage parlé dans le choix des mots. Ainsi, de nombreuses onomatopées servent à exprimer bruits, borborygmes et cris. L'influence est cette fois celle de la bande dessinée. On ne compte pas les « Oh ! » et les « Ah ! ». « Zut ! Zut, et Bran ! » s'exclame Colin sous le coup de l'émotion lorsque pour la première fois il aperçoit Chloé (p. 66). De nombreux mots appartiennent à un niveau de langue familier, voire populaire. Après Queneau[1], Boris Vian met dans la bouche de ses personnages des mots comme « imper », abréviation de « imper-

1. Cf. chap. 1, p. 6 : « Vie et œuvre de Boris Vian ».

méable » (p. 26), ou comme « piger » qui signifie « comprendre » (p. 137). Le niveau de langue devient populaire pour les injures. « Vous êtes un vieux con », dit Colin au sous-directeur de l'usine (p. 214). Ce lexique qui appartient au langage parlé contribue au naturel des dialogues.

La préciosité des dialogues et de la narration

Cependant, les personnages ont parfois aussi des propos marqués par la préciosité[1]. Tel est l'effet créé par l'emploi des anglicismes[2] comme « smart » (p. 87), qui signifie « élégant », ou « grape-fruit » (p. 49), qui désigne le « pamplemousse ». Nicolas, tout particulièrement, emploie des tournures syntaxiques d'un niveau de langue soutenu. « Puis-je me permettre de prier Monsieur de bien vouloir m'autoriser à reprendre mes travaux ? » demande-t-il non sans pédantisme à Colin (p. 28). Par conséquent, quand il ne s'exprime pas en termes familiers, Nicolas est un domestique d'une extrême politesse qui, devant son maître, use d'un niveau de langue conforme à sa condition sociale. Les reproches que Colin lui adresse à ce propos (p. 47) peuvent sonner comme des jugements de Boris Vian lui-même sur un usage trop châtié de la langue française. Plus généralement, le respect de la belle langue est présent chez les autres personnages. Qu'on pense au subjonctif imparfait qu'emploie le professeur Mangemanche à propos de Chloé : « Encore faudrait-il que je l'examinasse... » (p. 161). Ce contraste entre niveau de langue familier et niveau de langue soutenu rend compte des variations de niveau de langue qu'occasionne la vie quotidienne.

Certes, la préciosité est plus abondamment présente dans la narration que dans les dialogues, tandis que pour la familiarité c'est le contraire. Mais il n'en reste pas moins que la ressemblance des dialogues et de la narration constitue l'un des facteurs majeurs de l'unification verbale

---

1. *La préciosité*, dans l'expression, désigne un style recherché, voire affecté.
2. *L'anglicisme* désigne l'emprunt d'un mot ou d'une expression à la langue anglaise.

du roman. Dans la narration, la préciosité est marquée par l'emploi d'archaïsmes. Ainsi, le chef de la police est appelé « sénéchal », terme employé au Moyen-Âge pour désigner un officier royal chargé des questions de justice (p. 260). La préciosité est aussi marquée par l'abondance de termes recherchés, particulièrement des termes savants qui renvoient à des domaines scientifiques spécialisés, médicaux, biologiques ou technologiques. Ainsi, sur le visage, Colin a des « comédons », autrement dit des points noirs (p. 19).

LES FIGURES DE STYLE

Nature des comparants

La comparaison est une figure de style qui pose un rapport d'équivalence entre deux termes : d'un côté le comparé, de l'autre le comparant. Tous deux sont présents dans la même phrase et unis par un terme de liaison appelé comparatif (le plus souvent « comme »). La métaphore pose elle aussi un rapport d'équivalence entre deux termes. Mais contrairement à ce qui se passe dans la comparaison, le rapport entre les deux réalités se fait sans terme de liaison, et le comparé est même parfois absent. Dans *L'Écume des jours*, Boris Vian utilise très rarement la métaphore et fait un faible usage de la comparaison.

Selon le comparant qu'elles utilisent, on peut distinguer trois types de comparaisons dans le roman. Les premiers comparants, fort rares, sont tirés du registre classique des comparaisons, mais dans un contexte qui crée un décalage. Qu'on pense à l'une des premières phrases du roman :

> « Son peigne d'ambre divisa la masse soyeuse des cheveux en longs filets oranges pareils aux sillons que le gai laboureur trace à l'aide d'une fourchette dans de la confiture d'abricots ». (p. 19)

On est ici en présence d'un topos, c'est-à-dire d'une image communément présente dans la poésie classique. La comparaison avec le « gai laboureur » est en effet une image traditionnelle de la poésie bucolique[1]. Mais les motifs de la coiffure, de la fourchette et de la confiture instaurent une rupture. L'effet comique est suscité par la distance que prend l'auteur avec la tradition poétique.

Le deuxième type de comparaison repose sur le lexique technique. Ainsi, lorsque Nicolas boit un cocktail fortifiant :

> « Le tout descendit dans son gosier, en faisant le bruit d'un cyclotron en pleine vitesse ». (p. 118)

Un « cyclotron » est un accélérateur de particules, appareil utilisé dans la recherche atomique. Ce type de comparaisons témoignent de la fascination inquiète de Boris Vian pour la technologie[2].

Enfin, un troisième type de comparaison a recours au lexique des sciences naturelles et au langage maritime. A la patinoire, un homme fait une chute et s'écrase « comme une méduse de papier mâché écartelée par un enfant cruel » (p. 41). On retrouve plus tard cette image de la méduse dans la description de l'eau du canal qui traverse le quartier médical (p. 183). Mangemanche se compare « au malheureux naufragé dont les monstres voraces guettent la somnolence pour retourner le fragile esquif » (p. 164). Toutes ces comparaisons sont inquiétantes. La mer, univers liquide, est un milieu dangereux dans lequel l'humanité risque d'être transformée en animal (la méduse) ou d'être dévorée par des requins (les monstres voraces).

Signification des images maritimes

Ces images maritimes révèlent les obsessions de l'auteur Boris Vian. L'eau, où vivent méduses et requins, est dangereuse. On peut étendre cette remarque à tout l'imaginaire du roman. En effet, l'élément liquide est toujours lié à la mort. Lors du voyage de noces, Chloé ne supporte pas la neige et commence à tousser (p. 129).

---

1. La poésie qui décrit les travaux agricoles et la vie campagnarde est appelée *poésie bucolique*. Elle fut surtout employée dans l'Antiquité grecque et romaine et, en France, aux XVIe et XVIIe siècles.
2. Cf. chap. 7, p. 40 : « Une société aliénante ».

L'appartement de Colin se transforme en marécage au fur et à mesure que la maladie de Chloé s'aggrave (p. 238). Le corps de Chloé lui-même est atteint par l'élément liquide, puisque pousse dans sa poitrine le nénuphar qui est une fleur d'eau. Son enterrement a lieu dans une île humide que l'eau recouvre presque entièrement (p. 294). Pour finir, Colin, au dernier chapitre du roman, s'apprête à se suicider en se jetant à l'eau (p. 300).

Si dans *L'Écume des jours*, les images au sens strict sont peu nombreuses, c'est qu'elles ont déjà contaminé toute la réalité romanesque. Pour ainsi dire, c'est l'ensemble du roman qui est métaphorique. L'élément liquide envahit le décor romanesque avec la même implacabilité que le malheur envahit la vie des personnages. Il faut donner toute son importance à l'une des rares métaphores, encore une fois maritime, du roman :

> « A l'endroit où les fleuves se jettent dans la mer, il se forme une barre difficile à franchir et de grands remous écumeux où dansent les épaves ». (p. 156)

Cette métaphore se trouve au cœur du chapitre XXXIII, à un moment où la maladie de Chloé s'aggrave et va nécessiter l'intervention d'un docteur. La traversée maritime commence. En même temps que s'enfuit le bonheur des jeunes mariés, tout retourne au visqueux, au liquide, à l'absence de forme. Le titre du roman prend alors un sens nouveau[1]. « L'écume », c'est cet élément liquide qui envahit la réalité et condamne les personnages à la mort. Matérialisée dans l'univers romanesque, l'image liquide donne naissance à un monde terrifiant.

L'INVENTION LEXICALE ET LA FANTAISIE

Les procédés de l'invention lexicale

Boris Vian se montre respectueux de la grammaire. Les temps employés sont le passé simple et l'imparfait. Les

1. Cf. chap. 10, p. 62 : « Un roman à l'intersection de plusieurs genres ».

phrases sont courtes et allégées par de légères licences : phrase sans verbe, remplacement par la virgule des conjonctions de coordination. Mais si la grammaire est respectée, l'invention lexicale introduit une grande originalité. Les procédés sont au nombre de trois.

On trouve tout d'abord divers jeux de mots : calembours, contrepèteries, paraphasies, syllepses et antanaclases. Le calembour se définit comme la substitution d'un mot à un autre lui ressemblant par le son. « Je voudrais me retirer dans un coing », dit ainsi Nicolas (p. 209). La contrepèterie consiste en l'échange de deux sons appartenant à deux mots différents. Ainsi Colin porte un « portecuir en feuilles de Russie » au lieu d'un portefeuille en cuir de Russie (p. 35). On désigne par paraphasie une substitution de mots plus ou moins motivée. Ainsi, les frères Desmarais sont-ils des « pédérastes d'honneur » plutôt que des garçons d'honneur (p. 91). La syllepse consiste en un mot employé une seule fois mais pouvant s'entendre à la fois au propre et au figuré. Quand le pharmacien se prépare à « exécuter » une ordonnance, le verbe « exécuter » est employé au sens figuré. Mais quand, ensuite, il utilise une « guillotine de bureau », il prend le verbe au sens propre (p. 168). Enfin, l'antanaclase consiste en la répétition d'un mot pris dans deux sens différents. Ainsi Colin emploie l'expression « couper la poire en deux » qui signifie « trouver un compromis entre deux solutions ». Le mot « poire » a ici un sens figuré. Puis il se demande, au sens propre cette fois, ce qu'il va faire « des deux moitiés de cette sacrée poire ? » (p. 219).

On trouve ensuite de très nombreuses périphrases, c'est-à-dire des substitutions d'un seul mot par plusieurs autres mots formant le même sens. Ainsi le pharmacien devient un « marchand de remèdes » (p. 167).

Enfin, on trouve des néologismes, c'est-à-dire des mots inventés. Boris Vian crée des mots de toutes pièces ou déforme, soit dans leur morphologie soit dans leur sens, des mots déjà existants. Comme exemple de déformation morphologique, on peut citer le verbe « s'abluter », mot formé sur « ablutions » et qui signifie « se laver » (p. 54). Comme exemple de déformation sémantique, citons le mot « alérion » qui désigne habituellement un petit aigle figurant sur les blasons et qui ici désigne un animal réel (p. 296). Pour ce qui est des mots créés de toute pièces, citons le mot « tue-fliques », arme inventée par Boris Vian sur le modèle du tue-mouches (p. 273).

Le mélange des mots savants et des néologismes crée un effet troublant. En effet, la présence des premiers tend à faire passer les seconds pour des mots existant réellement, tandis que ces derniers jettent au contraire un doute sur les premiers. Le passage entre néologismes et mots savants est opéré par des mots savants employés dans un sens qui n'est pas le leur. Ainsi, quand Chloé parle de « fontanelle » pour désigner l'espace ouvert par un carreau cassé, elle emploie ce mot à contresens (p. 130). On désigne en effet par « fontanelle » l'espace situé entre les os du crâne des jeunes enfants et qui ne s'ossifie que progressivement au cours de la croissance. Lorsque se mêlent ainsi science et fantaisie, il devient difficile de démêler le réel de l'imaginaire.

Les fonctions de la fantaisie

Au niveau de l'énoncé, *L'Écume des jours* se montre tantôt conformiste (sur les rapports hommes/femmes en particulier), tantôt plus révolutionnaire (dans son refus du travail et des institutions). Mais c'est surtout dans le choix de son lexique, au niveau de l'énonciation donc, que Boris Vian transgresse les règles admises et montre son anticonformisme. L'influence de Raymond Queneau est ici manifeste[1]. Cette fantaisie a trois fonctions principales. La première est de permettre la satire du monde, la seconde de jeter un voile sur la souffrance, la troisième de dénoncer les illusions du langage.

1. Une allusion au romancier figure d'ailleurs dans le roman. « Don Evany Marqué, le joueur de baise-bol » (p. 264) rappelle le titre d'un poème de Queneau, « Don Evané Marquy » (1943). Le titre et les huit vers de ce poème constituent des anagrammes (mots obtenus par transposition des lettres d'un autre mot) du nom de Raymond Queneau lui-même.

Nous passons rapidement sur la fonction satirique puisque nous en avons déjà souligné les objets et les moyens[1]. Boris Vian utilise la fantaisie pour critiquer les institutions, Église et armée, ainsi que le travail industriel. La fantaisie a dans ce cadre une fonction offensive. Elle permet à Boris Vian de critiquer l'injustice et le système d'exploitation du monde réel.

Quand la fantaisie prend pour objet la souffrance humaine, son usage est davantage défensif. En effet, l'énoncé du roman est tragique, mais la plupart du temps l'énonciation marque un refus de s'abandonner à la tristesse. La gaieté de l'énonciation s'oppose à la tragédie de l'énoncé. C'est le cas dans le dernier chapitre du roman. Colin est sur le point de se jeter à l'eau, mais la scène est décrite à partir du point de vue de la souris. On quitte le domaine de la tragédie pour entrer dans celui de la fable animalière. La tragédie est ainsi privée de vraisemblance. Le comique abonde dans cette scène : le chat se fait prier avant de consentir à manger la souris, celle-ci lui reprochant son haleine désagréable... Ici, la fantaisie permet à Boris Vian d'éviter l'émotion et le pathétique.

La troisième fonction de la fantaisie consiste en une critique du langage. En effet, dans la mesure où la fantaisie constitue une rupture brutale avec l'illusion réaliste, le lecteur est invité à ne pas confondre réalité et fiction. La fantaisie lexicale montre que les mots, loin de renvoyer au monde, sont des conventions arbitraires. Rien d'étonnant à ce qu'un auteur qui ne prétend délivrer aucun message[2] joue avec les mots pour dénoncer leur prétention à dire le monde.

---

1. Cf. chap. 7, p. 40 : « Une société aliénante ».
2. Cf. chap. 8, p. 47 : « La critique de l'existentialisme ».

Sur la vie de Boris Vian

– * Philippe BOGGIO, *Boris Vian* (Le Livre de Poche, Paris, 1995). Biographie donnant des informations sur l'époque à laquelle Boris Vian écrivit son roman (lire surtout les chapitres V et VI).

– * Jean CLOUZET, *Boris Vian* (collection « Poète d'aujourd'hui », Seghers, Paris, 1966). Une biographie et un choix de textes.

Sur l'œuvre de Boris Vian

– Jacques BENS, *Boris Vian* (collection « Présence littéraire », Bordas, Paris, 1976). Lire surtout le parcours thématique à travers l'ensemble de l'œuvre de Boris Vian (p.127-184).

– Gilbert PESTUREAU, *Boris Vian, les Amerlauds et les Godons* (10/18, Paris, 1978). Ouvrage sur l'influence des cultures anglaises et américaines dans l'œuvre de Boris Vian.

– Noël ARNAUD et Henri BAUDIN (sous la direction de), *Boris Vian*, colloque de Cerisy la Salle (10/18, 2 volumes, Paris, 1977). Pour une approche psychanalytique, lire l'article d'Alain Costes, *Le désir de Colin*, volume 1, p.169-177.

Sur *L'Écume des jours*

– * Jacques BENS, *Un langage-univers* (postface à l'édition 10/18 de *L'Écume des jours*, Paris, 1963).

– Alain COSTES (sous la direction de), *Lecture plurielle* de « *L'Écume des jours* », colloque de Cerisy la Salle (10/18, Paris, 1979). Pour une approche sociologique, lire l'article de Claudette Oriol-Boyer, *L'écho-nomie dans « L'Écume des jours »*, p. 287-356.

Nous signalons par un astérisque (*) les ouvrages disponibles en librairie. Les autres sont à consulter en bibliothèque.

INDEX DES THÈMES ET DES NOTIONS

Les références renvoient aux pages du « Profil ».

156 **Ponge**, Le parti pris des choses et autres recueils
28 **Prévert**, Paroles
6 **Prévost (abbé)**, Manon Lescaut
263 **Primo Levi**, Si c'est un homme
75 **Proust**, À la recherche du temps perdu
233/234 **Queneau**, Les fleurs bleues
62 **Rabelais**, Gargantua / Pantagruel
149 **Racine**, Andromaque
193 **Racine**, Bérénice
109 **Racine**, Britannicus
189 **Racine**, Iphigénie
39 **Racine**, Phèdre
227/228 **Renoir**, La règle du jeu
55 **Rimbaud**, Poésies
246 **Rimbaud**, Une saison en enfer/ Illuminations
82 **Rousseau**, Les confessions
215/216 **Rousseau**, Les confessions (Livres I à IV)
61 **Rousseau**, Rêveries du promeneur solitaire
243 **Sarraute**, Enfance
31 **Sartre**, Huis clos
194 **Sartre**, Les mots
18 **Sartre**, La nausée
209/210 **Senghor**, Éthiopiques
170 **Shakespeare**, Hamlet
169 **Sophocle**, Œdipe roi
44 **Stendhal**, La chartreuse de Parme
20 **Stendhal**, Le rouge et le noir
86 **Tournier**, Vendredi ou les limbes du Pacifique
148 **Vallès**, L'enfant
247 **Verlaine**, Fêtes galantes et autres recueils
218 **Vian**, L'écume des jours
262 **Voltaire**, Candide
113 **Voltaire**, L'ingénu
188 **Voltaire**, Zadig et Micromégas
35 **Zola**, L'assommoir
77 **Zola**, Au bonheur des dames
100 **Zola**, La bête humaine
8 **Zola**, Germinal
235 **Zola**, Thérèse Raquin
248 **Zweig**, Le joueur d'échecs

TEXTES EXPLIQUÉS

160 **Apollinaire**, Alcools
131 **Balzac**, Le père Goriot
141/142 **Baudelaire**, Les fleurs du mal/ Le spleen de Paris
135 **Camus**, L'étranger
159 **Camus**, La peste
143 **Flaubert**, L'éducation sentimentale
108 **Flaubert**, Madame Bovary
110 **Molière**, Dom Juan
166 **Musset**, Lorenzaccio
161 **Racine**, Phèdre
107 **Stendhal**, Le rouge et le noir
236/237 20 textes expliqués du XVIe siècle
220 **Verlaine**, Poésies
104 **Voltaire**, Candide
136 **Zola**, Germinal

BAC 2002 QUESTIONS TRAITÉES

Bac lettres Te L/ES : les questions d'oral et d'écrit

PROFIL HISTOIRE LITTÉRAIRE

114/115 50 romans clés de la littérature française
174 25 pièces de théâtre de la littérature française
119 Histoire de la littérature en France au XVIe siècle
120 Histoire de la littérature en France au XVIIe siècle
139/140 Histoire de la littérature en France au XVIIIe siècle
123/124 Histoire de la littérature en France au XIXe siècle
125/126 Histoire de la littérature en France au XXe siècle
128/129 Mémento de la littérature française
151/152 Le théâtre: problématiques essentielles
179/180 La tragédie racinienne
181/182 Le conte philosophique voltairien
183/184 Le roman d'apprentissage au XIXe siècle
197/198 Les romans de Malraux : problématiques essentielles
201/202 Le drame romantique
223/224 Les mythes antiques dans le théâtre français du XXe siècle
229/230 Le roman naturaliste: Zola, Maupassant
231 Maîtres et valets dans la comédie du XVIIIe siècle
250/251 La poésie au XIXe et au XXe siècle
252/253 Les mouvements littéraires du XVIe au XVIIIe siècle
254/255 Les mouvements littéraires du XIXe et du XXe siècle
256/257 Le roman et la nouvelle
258/259 La tragédie et la comédie
260/261 Le biographique

GROUPEMENT DE TEXTES

94 La nature: Rousseau et les romantiques
95 La fuite du temps: de Ronsard au XXe siècle
97 Voyage et exotisme au XIXe siècle
98 La critique de la société au XVIIIe siècle
106 La rencontre dans l'univers romanesque
111 L'autobiographie
130 Le héros romantique
137 Les débuts de roman
155 La critique de la guerre
162 Paris dans le roman au XIXe siècle

Imprimé en France, par l'imprimerie Hérissey à Évreux (Eure)
N° d'édition 26756 - Dépôt légal : mai 2004 - N° d'impression : 96995